D0755195

UN HOMME SI SIMPLE

Première édition : F. Rieder et Cie, Éditeurs, Paris, 1925.

Illustration de couverture : Pierre Alechinsky, *L'Absent entouré*, 1973 (détail). © Sabam

Imprimé en Belgique
ISBN 2-8040-1711-7
D/2002/258/86

André Baillon

Un homme si simple

Lecture de Maria Chiara Gnocchi

À Germaine Lievens

Absolve…
(Messe des Morts)

Préface

J'ai un ami. Il est chimiste : un beau cerveau de savant.

Un jour, comme il dînait, un petit pois roula par terre hors de son assiette. Ce n'est rien un petit pois. D'abord, il ne le remarqua pas. Puis il y pensa. Puis il s'inquiéta. Puis il se tourmenta. Puis il voulut savoir où ce petit pois avait roulé par terre hors de son assiette ?

Il quitta sa place et se mit à genoux sous la table.

– M'ami que fais-tu ?

– Rien ! Je cherche un petit pois.

– Laisse donc.

– Non ! Je veux trouver le petit pois qui a roulé par terre hors de mon assiette.

Sa femme pour lui plaire, ensuite la servante, se mirent à genoux pour chercher avec lui ce petit pois roulé par terre hors d'une assiette.

À un moment quelqu'un accrocha la nappe. D'autres petits pois, beaucoup de petits pois, roulèrent par terre hors des assiettes. Le chimiste ne s'en soucia pas. Il marchait dedans, en faisait de la bouillie. Ce qu'il voulait, c'était le premier petit pois tombé par terre hors de son assiette.

Un pauvre homme, dans ce livre, s'arrache, non sans douleur, de rouges morceaux de vérité. Il cherche son petit pois.

Peut-être en cherche-t-il plusieurs ?

Peut-être ignore-t-il tous ceux qu'il cherche.

Peut-être, il passe à côté du plus gros sans savoir qu'il le cherche ? Et ce gros n'est pas beau.

Faut-il le disculper ?

L'esprit est prompt, la chair faible et le cerveau, fragile.

Comme en beaucoup de choses, on peut rappeler ce que, suivant notre Sainte Mère la très Sainte Église, ceux qui ont fini de vivre crient à ceux qui sont en train :

Hodie mihi
Cras tibi.

A.B.

Première Confession

Mon nom ? Jean Martin, monsieur l'interne. Jean comme tous les Jean ; Martin comme... Non, pas comme tous les Martin : comme l'ours quand il fait le beau pour une croûte, dans sa fosse au Jardin des Plantes.

Vous percevez la nuance, n'est-ce pas ?

Profession ? Ai-je une profession ? J'écris des livres. Écrivain, homme de lettres. Je n'aime pas ce mot-là. Enfin, s'il vous plaît, notez-le.

Pourquoi j'ai demandé mon admission à la Salpêtrière ? Pour rien, monsieur. Pour avoir la paix. Mal à la tête, une barre dans la nuque : fatigué quoi ? Les livres, vous comprenez ? Les démarches, les soucis : Paris éreinte. Et puis, l'argent.

D'ailleurs, depuis hier, je vais déjà mieux. Beaucoup mieux. Infiniment mieux. Calme, Monsieur ! Ineffablement calme, *In Pace,* monsieur. Voyez mes mains : elles avaient la tremblotte. Elles ne tremblent plus... Ou presque plus. Mes réflexes : vous avez noté *faibles*. Qu'est-ce que cela prouve ? S'il fallait... euh ! mettre à la Salpêtrière, tous les gens dont les réflexes sont faibles ! Et puis je mange ! Beaucoup. Avec voracité. Hier, trois cuillerées de riz, ce matin... Tout ce que Mlle Brichard fourre dans mon assiette. Si elle est juste, elle vous le dira. Inscrivez-le, je vous prie. Mais non, je n'insiste pas. Seulement, si Mlle Brichard ne ment pas, elle vous affirmera que je mange.

Des scrupules étant jeune ? Moi ! D'abord qu'est-ce que c'est des scrupules ? Ah ! oui : des histoires de confession qu'on recommence, le robinet à gaz dont on n'est pas sûr qu'on l'ait fermé, des inquiétudes stupides. Jamais ! Notez-le : un enfant très calme. Prix d'excellence, prix de sagesse, prix de... Le premier de sa classe, préfet de congrégation, membre de la garde d'honneur du Sacré-Cœur de Jésus. Des robinets à gaz, des confessions qu'on recommence, ce sont les futurs fous qui passent par là ! Donc, aucun scrupule.

Plus tard ? Un peu de neurasthénie, comme tout le monde. Pas dans le cerveau, monsieur. Dans l'estomac. Jamais dans le cerveau.

Des troubles ces derniers temps ? Peuh ! Une nuit, un bonhomme m'a tiré par le pied, sous le lit. J'avais peur ; j'ai... Vous notez cela ? Allons ! Allons ! Je sais parfaitement : il n'y a pas eu un bonhomme sous mon lit. C'est dans le cerveau que les bonshommes vous tirent par le pied sous le lit. Laissez votre stylo. Je... n'est-ce pas ?... parfaitement.

Des ennuis de ménage ? Pas un nuage. Sérénité parfaite. Tourtereau, tourterelle. Une brave femme... euh ! Jeanne, monsieur. À Paris ?... Non... oui... c'est-à-dire, elle n'habite plus à Paris. La plus douce des femmes. Certains jours, vous savez ? de vilaines crises de foie.

Non, pas d'enfants. Pas l'ombre... c'est-à-dire, je... Enfin, personnellement, je n'ai pas d'enfant. Jeanne non plus.

Des maîtresses ! Le vilain mot ! Et au pluriel ! Si vous disiez : *une* amie ; *une* compagne. D'ailleurs je... Non, pas de maîtresses.

L'année de mon mariage ? En... Voyons ?... Dix-neuf cent... dix-huit cent... Franchement, à quelques années près... Comment ! Vous prenez note. Qu'écrivez-vous sur cette fiche : *Amoral : ignore la date de son mariage.* Ah !...

... Non ! Plus rien. Vraiment, je n'ai plus rien à dire. *Amoral*, parce que...

Deuxième Confession

Quel jour sommes-nous ? Lundi ? Ah !... Du lundi au lundi, sept plus un, huit. Déjà huit jours ! Bornet, le premier soir, je n'étais pas fier, hein ? Je t'entendais, va : « Pauvre homme !... il est mûr ». Si, si, tu l'as dit. Et « la lumière qu'on ne voilait pas à seule fin de surveiller le pauvre Monsieur. » Farceur ! Toutes les nuits on garde la lumière voilée, il est vrai. J'ai rêvé ? Tu ne l'as pas dit ? J'avais l'air d'être dans les nuages : je voyais, j'entendais tout.

Mon vieux Bornet, tu es journaliste, je suis écrivain : entre gens du même bord, nous n'allons pas mettre des gants. Comment me trouves-tu ? Toi, je l'ai vu tout de suite, tu es fatigué. Mais le fond, le cerveau quoi ? est solide. Où tu as tort, c'est quand tu m'attrapes la main pour y frapper tes trois petits coups. Que diable ! tu n'es pas franc-maçon ! En tout cas, ici, la franc-maçonnerie n'a rien à faire. Tu es stupide. Cela te passera. Et moi, vieux, comment me juges-tu ? Sans flatterie, sans fausse pitié, comme je te parle. Pâle ? Bon. Maigre ? Dame, cinquante-deux kilos sept cents. Mais le reste ? La tête ? D'aplomb, hein ? Pas d'un *mûr*. Fatigué simplement, euh !... comme toi.

Dommage que, même ici, on entende les métros. En voilà un, là-bas au bout. On l'aperçoit à travers la grille sous le porche. Tu l'as vu ? La prochaine :

gare d'Orléans. Il y a des gens là-dedans. Touche la grille : les barreaux tremblent. C'est ma main ? Non ! ce sont les barreaux, à cause du métro. Sales trains ! Ils devraient nous laisser la paix. Retourne-toi. Là, par-dessus le mur, entre les maisons en voilà un autre : le Métro Nation. Il est plus près et on l'entend moins. Curieux ! Encore un ! Le cochon. Dis-moi ? Aller en métro jusqu'à Calais, c'est fini cette lubie ? Où diable, avais-tu trouvé celle-là ?

Comment s'appelle-t-il, l'interne, le grand blond, avec ses lunettes d'écaille ? Lafosse ? Tu l'aimes, toi ? Nous avons causé l'autre jour. Oui, l'interrogatoire de tout le monde : le *curriculum vitae*. Entre nous, il est un peu... un peu piqué, hein ? Est-ce qu'il ne t'a pas sorti sa marotte sur la morale ? Dame ! vivre toujours avec des gens comme... les camarades, cela se gagne. Et l'infirmière avec son casaquin jaune, Mlle Brichard ? Faut-il être méchante pour s'attifer ainsi. As-tu vu ce qu'elle m'en a fourré du riz le premier soir ? « Que vous le vouliez ou non, vous mangerez ! » Chipie ! Et notre prise de bec ! Tu n'étais pas là. Oui à propos du petit Polonais, celui dont on ne sait s'il vous comprend ou ne vous comprend pas. Elle a voulu l'attraper : « Qu'avez-vous mangé ce midi ? ». Moi, je ne devinais pas, n'est-ce pas ? Comme l'autre restait bête, j'ai soufflé : « Du poisson ». Elle ne s'est même pas tournée : « J'entends un malade qui se mêle de ce qui ne le regarde pas ». Croirais-tu ? Soit, elle exerçait son métier. Mais cet horrible casaquin jaune ! Tais-toi ! Elle s'amène. J'en suis sûr, elle nous espionne... Bonjour, mademoiselle... Très bien, mademoiselle... Oui, nous prenons l'air, mademoiselle Brichard... Hum!

Allons! Laisse ma main en paix. Je n'ai pas besoin de tes petits coups, franc-maçon à la noix! Mais non, je ne me moque pas: je te corrige pour te rendre service. Tu en ferais autant pour moi.

Pour en revenir à Lafosse: quand tu étais petit, avais-tu des scrupules? Des idées, quoi? Des confessions qu'on recommence, le bec de gaz dont on n'est pas sûr. Évidemment, tu es franc-maçon: tu te fiches de la confession. Mais le bec de gaz, des inquiétudes enfin? Tu ne connais pas cela? Tiens!

Embêtant hein, d'être collés derrière une grille. Cela ne t'inquiète pas, toi? De l'autre côté on est libre. Tu ne penses jamais à l'autre côté? Il est vrai qu'avec notre capote, on nous pincerait tout de suite. Mais une fois dehors, vraiment dehors, crois-tu qu'un flic aurait le droit de nous reprendre? Combien de temps reste-t-on ici? Un mois? Deux mois? Oh! je ne suis pas pressé. Mais rester toujours! Tu dis? Nous sommes en observation? les *vrais* on ne les garde pas. On les... interne. Pas forcément, pour toute la vie, n'est-ce pas? Et à quoi reconnaît-on les vrais? Après combien de jours? Je suppose qu'au bout d'une semaine on est fixé. C'est parfois plus long? Fichtre! Comment celui du lit 5, on va le... Il ne disait jamais rien, ce brave homme. Il était plus calme que nous!

Dis-moi! Quand il t'a admis, le chef de service, qu'est-ce qu'il tenait à la main? Rien? Tu en es sûr? N'avait-il pas comme une petite règle, une baguette ? Ne t'a-t-il pas donné un petit coup dans l'estomac ? Après tout, tu as raison : ce petit geste n'aurait aucun sens. Et puis je ne suis pas certain qu'il eût cette règle. On a beau ne pas douter de soi, lorsqu'on arrive ici, on est troublé quand même.

Je repense à Lafosse : as-tu des enfants, toi ? des ennuis de ménage ? Ah ! oui, elles sont difficiles à mener les petites filles. Comment, mon pauvre ami, tu es en instance de divorce. C'est en partie pour cela que... Je m'en doutais. Quelles complications qu'un divorce ! Allons, allons ! N'y pense plus. Et laisse ma main tranquille.

À propos, je quitte la salle. Je ne dormais pas. J'ai besoin de dormir. On me donnera un Chalet. Le Chalet 1, au fond de la cour des femmes. Oui celui où l'Espagnol est mort. Qu'est-ce que cela prouve ? Celui-là on l'avait trépané : il n'en est pas question pour moi... Je n'y serai pas plus qu'il me plaira. C'est Mlle Brichard qui a trouvé que je serais mieux dans un chalet. Elle a fait la demande. C'est gentil. Croirais-tu cette chipie ?

Bien sûr, on se reverra.

Mais, vraiment, tu ne sais pas ce que c'est qu'un scrupule ?

TROISIÈME CONFESSION

I

Vous regardez ma petite table, M. Lafosse.

Elle est gentille, n'est-ce pas ? C'est Mlle Brichard qui me l'a procurée :

– Un écrivain, m'a-t-elle dit, doit avoir sa table.

Elle m'en veut. Si, si. Mais elle cache son jeu sous des prévenances. Enfin.

Grâce à cette petite table, j'ai beaucoup réfléchi.

Vous m'avez interrogé l'autre jour. Mon Dieu ! que j'aie menti ou non, au fond que vous importe ? À moi, il importe beaucoup. Et j'ai menti. Cela me rend un peu triste. Un scrupule, quoi ? un de ces scrupules que je prétendais ne pas connaître.

Vous m'observiez, monsieur. Je vous observais aussi. Quand je me suis nommé : « Martin, comme l'ours du Jardin des Plantes » vous avez pensé :

– Encore un qui déraille.

Voyons ! Il y a ce pauvre Bornet avec ses trois petits coups dans la main et son tablier maçonnique quand il va faire pipi. Je ne suis tout de même pas comme lui. Ni comme le malade du lit 1 qui se croit à l'hôtel et se fâche parce que vous êtes le patron et ne lui donnez pas sa note. Je sais, moi ! Je suis à l'hôpital ; j'y suis librement, j'y suis par ma volonté parce que je désirais une chambre pour moi seul, un porte-plume pour moi seul, une table pour moi seul, et, alentour, quinze kilomètres de silence.

Il est vrai que pour les quinze kilomètres...

– Une dent en or... une chaise en or... un arbre en or... une table de nuit en or.

Écoutez le Chalet 2 et toutes les choses, aujourd'hui, qu'il se découvre en or.

La petite Yvonne aussi est bien agitée ce matin. Tantôt elle a cassé les vitres. Elle hurlait. N'importe ! il y a des vacarmes plus effrayants... au dehors.

On voit beaucoup de grilles et de cadenas dans ce coin de la Salpêtrière. Non que j'aie peur, mais dites-moi, franchement, votre bon chef de service, pourquoi m'a-t-il donné avec une baguette, un coup dans l'estomac ? Il ne l'a pas donné à Bornet. Ce petit geste, dites-vous, ne signifiait rien, un geste de bienvenue. Fort bien. « De bienvenue » jusque quand ? Pas pour toujours, je suppose. Si je devais rester ici à vie, je serais bien malheureux. Bien malheureux aussi s'il me fallait en sortir. Quelle tête !

Examinez-la, monsieur. Mes cheveux sont longs. Ils commencent à tomber un peu. Là, vous voyez ? un petit rond indique qu'au sommet du crâne, Jean Martin a la peau rose. À la maison, on appelait ce rond un petit « megnon ». Ici je m'en moque. Je n'aimais pas qu'on eût l'air d'apercevoir le « megnon ». Encore moins qu'on en parlât.

– C'est bon ! c'est bon.

Martin grognait.

Il ne fallait pas non plus lui parler de ses yeux. Ils voient bien, ces yeux, et de loin. De près, ils ont besoin de lunettes. Oui ! Quarante-sept ans, ce n'est pas trente. On devient, peut-être, presbyte. Erreur. Mes yeux ne sont pas en faute. Si j'y vois moins, c'est à cause de Paris. On se crève la vue dans les appartements de votre Ville-Lumière.

Comment des gens peuvent-ils naître, vivre, mourir à Paris ? Mourir, ah ! cela oui. Naître, cela se fait où se trouve la mère. Mais penser, prendre conscience de soi, maintenir cette conscience, être joyeux, triste, faire enfin, ce qu'on appelle vivre ? Depuis quatre ans j'y traîne. J'aurais dû me méfier. Le premier jour, un ami m'accueillit à la gare. Je portais une valise et, en manuscrits, ce qui deviendrait des livres. Il eut une course à faire. Il m'installa dans un bar :

– Prends un café. Ce ne sera pas long.

Un café, deux cafés, ce fut très long.

Le bar donnait sur un petit square derrière Notre-Dame. Je connaissais l'église, pas les alentours. Sur la marquise du bar, je déchiffrai à rebours ces rimes :

Quoi que l'on dise, quoi que l'on fasse
On est mieux ici qu'en face.

Je pris un troisième café pour demander :

– Qu'est-ce que c'est « en face » ?

– La morgue, monsieur.

Elle a déménagé depuis. Mais qu'à Paris, on fût bien ici, mal en face, quand on y débarque avec de l'espoir en valise, c'était une leçon, monsieur.

L'ami ne revenait toujours pas. Je me rappelai que j'avais à lancer un télégramme. Je demandai un quatrième café et m'informai d'un bureau de poste :

– Prenez le pont ; puis à droite.

Je pris le pont, puis à droite, encore à droite, toujours à droite. Je fis sans doute le tour d'une île et retrouvai mon pont sans découvrir de poste. Je vis qu'il y avait deux ponts.

Qu'à Paris, des gens bien intentionnés vous renseignent « Prenez le pont » quand il y en a deux ; que de bonne foi on fasse le tour d'une île en prenant l'un, parce qu'on ignorait l'autre – après le bien ici, le mal en face, terrible leçon, monsieur.

Tenez ! je vous parle en confiance. Je risque une remarque, à propos de notre premier entretien. Oh ! vous avez donné du marteau où il fallait pour faire sauter ma jambe. Votre truc à pression artérielle, rien à dire : son aiguille a marché.

Vous m'avez demandé :

– Êtes-vous marié ?

– Oui.

– En quelle année ?

– Je ne sais pas.

Aussitôt sur ma fiche vous avez conclu : « Amoral : ne connaît pas la date de son mariage. »

Eh ! sans vous froisser, vous êtes jeune. Ni « megnon », ni lunettes pour presbyte. Vos jugements, non plus, n'ont pas de « megnon ». Ils mesurent pas angles droits. Il est tant d'autres angles, monsieur, que les vôtres ne saisissent pas.

Si au lieu de vos deux points, vous en aviez mis un, ou une virgule, vous jugiez bien.

Il y a, en effet, un tas de grandes choses et de grands sentiments que j'estime de petites choses et de petits sentiments. D'autres, que certains réprouvent, je les prends dans mes mains, je les regarde vivre, les pauvres ! et n'ose plus les réprouver. Ma conscience, si je pouvais l'examiner – comme je m'examine – dans une glace, elle aurait sans doute les joues bien maigres. Si revenant de chez la laitière, je pense avec le moindre doute, que cette brave femme qui est boiteuse, m'a remis deux sous de trop, je retourne les jeter sur son comptoir. Mais si je trouvais « bien fourré, gros et gras » un portefeuille qui ne serait pas celui d'une boiteuse ?... Je me le suis demandé.

Et puis, je suis égoïste ; quand il s'agit de mes livres, surtout. Je deviens dur. Malheureux ceux qui m'entourent. Il n'y a plus ni Dieu, ni diable, ni... morale. Ah ! ça t'ennuie que je te fourre dans un livre ? Tant pis ! je t'y fourre. J'y fourre les miens ; j'y fourre les autres ; j'y fourre... moi-même. Et j'ai des exigences. Quand j'écris, peu de chose me distrait : je veux la paix. Si je ne l'ai pas, je hurle jusqu'à ce que je l'obtienne. Quant à l'argent, le temps pour en gagner est du temps perdu pour mes livres. Je me restreins : qu'autour de moi on se restreigne. Et si dans ma pauvreté, j'évite les réunions, les spectacles, les... c'est entendu, une fois pour toutes, Martin est un mufle, Martin hait ce qui l'amuserait et amuserait les autres. Eh ! je ne me fâche pas. Quand on me touche là, j'ai mal et je crie. En ce cas, n'est-ce pas ? on vit seul. Oui, on devrait vivre seul. Pourquoi Martin a-t-il un cœur ?

Par contre: quelqu'un dans la peine, je me demande comment le soulager. Martin l'ours devient Martin le Saint qui donnait la moitié de son manteau à un pauvre. Je donnerais le manteau tout entier. Eh! je veux bien, c'est encore de l'égoïsme. Les autres grelottent: Martin a froid.

Ces deux égoïsmes, dites-vous, se contredisent. Bien sûr, ils se contredisent. Ils s'empoignent: ils se ceinturent à bras le corps, à qui tombera l'autre. Vous verrez comme. Et bien d'autres choses. Donc amoral. Mais pour une question de calendrier, ce serait à trop bon compte.

Ne le croyez pas. Je ne cherche pas les complications. Je les déteste. Je déteste aussi le mensonge, qui est de la vérité compliquée.

Si vous me voyiez dans la rue, je me dispense du faux-col puisqu'une écharpe tient plus chaud; quant aux chaussures, on est mieux en pantoufles.

J'écris: mes personnages sont des gens de tous les jours, pas de ceux qui se campent avec des gestes d'acteur au bout des bras: de pauvres bougres avec leur cœur. Ma phrase debout, chacun mettrait sur sa pointe cet œuf de Christophe Colomb. Elle est simple. Dans la vie, entre deux situations, je cherche la plus simple. Par mes actes, sinon en paroles, je prêche:

– Soyons simples!

C'est effrayant, monsieur, comme la vie se complique quand on la veut simple!

Jeune, j'étais un brave petit bonhomme. On m'avait mis au collège chez les RR. PP. Jésuites.

Une éducation religieuse est une grande faveur. On en doit remercier Dieu. Le régime était dur. On dormait dans des dortoirs. Au coucher, les lits étaient de glace. Le matin, il en fallait sortir au premier coup de cloche. Chaque soir, je priais mon bon Ange Gardien qu'il daignât me réveiller cinq minutes avant ce coup de cloche. J'aurais tant voulu, ne fût-ce qu'une fois, jouir de mes draps qui seraient chauds. Il ne m'accorda jamais cette grâce.

Par contre, je savais que « la crainte du Seigneur est le commencement de la sagesse. » Je le sus plus tard en latin : *Timor Domini...* Voire en grec. On aurait pu peut-être, nous enseigner en même temps comment on s'y prend pour tenir les pieds propres. Passons. Le *timor Domini* est un précepte simple : gagner le ciel, plus exactement craindre l'enfer, et pour cela fuir... fuir le péché. On nous citait de beaux exemples. Saint Louis de Gonzague est un Saint si saint qu'il baissait les yeux, pour ne pas pécher en regardant sa mère. Bon ! je n'étais pas Louis de Gonzague, à défaut de mère, j'avais des camarades : je baisserais les yeux. Mais comment marcher en aveugle dans une cour où quelque trois cents sauvages jouent à la balle et vous bousculent ? Pour vouloir mon salut, je m'embrouillais dans toutes sortes de péchés bien délicats à confesser. J'y tâchais. Quand j'avais fini, il me fallait recommencer. Je croyais avoir dit tout ; je n'avais pas dit tout.

Il est écrit que la vie humaine nous vient de Dieu. Nous devons respecter ce don. Le précepte était simple. Je n'attenterais pas à ce don. Avant de me nourrir, je tournais un robinet afin de purifier les mains qui porteraient, à la bouche, les aliments. Puis je fermais le robinet, car l'eau, comme la vie, vient de Dieu ; on ne peut la gaspiller. Oui ! mais ce robinet était en cuivre, le cuivre donne du vert-de-gris, le vert-de-gris pouvait empoisonner mes mains et ces mains souiller les aliments en les portant à ma bouche. Par respect de la vie, je rouvrais le robinet, je me lavais les mains, je refermais, touchais du cuivre, me souillais, rouvrais... L'acte si simple, se laver les mains, devenait un acte très compliqué.

Il est écrit :

– Le corps humain est le Temple du Saint Esprit. Par une tenue modeste, honorez l'Esprit Saint qui habite ce Temple.

Bon ! Tenue modeste et bienséante. Deux boutons pour le col, quatre au gilet, trois à la veste, d'autres plus bas au pantalon, je connaissais le compte.

– Un, deux, trois, quatre, cinq... Un, deux...

À petits attouchements répétés et discrets, je vérifiais si mes boutons, un à un, assuraient la modestie de mon Temple du Saint Esprit.

Ce sont des scrupules ? Eh ! oui. Je vous avais menti.

Ils ne m'empêchèrent pas de décrocher tous les prix.

Sorti de là, je voulus étudier les Lettres. Mon tuteur me conseilla les Mines. Suivre un conseil est simple. Analytique, différentiel, chimie, quelques vers, je fus un étudiant modèle. L'année d'après, j'aurais pu dire :

– J'étudie les Mines, dans les fossettes qui ornent le temple du Saint Esprit de ma maîtresse.

Elle s'appelait Rosa. *Rosa*, *rosae*: première déclinaison latine en *a*.

Avoir une Rosa est simple; la quitter si elle vous trompe, est compliqué. Elle me trompait; je m'accrochai; elle mangea tout mon argent. Par crainte de recherches vagues, j'en connus d'autres plus compliquées: savoir en latin que la crainte de Dieu est le commencement de la sagesse, et devoir, en français, gagner une vie que j'aurais pu capitonner de mes rentes.

Ainsi appris, ce fut décidé: je me passerais de femmes. Je découvris Jeanne. Jeanne était douce, maternelle, fidèle. Épouser Jeanne eût été compliqué. Mais refuser quand elle insiste? Vous m'avez demandé la date. J'épousai Jeanne.

Un an, deux ans... huit ans: toujours Jeanne. Écrivain, je n'écrivais guère. À tout prendre, puisque j'avais une Jeanne qui m'inspirait peu, mieux valait choisir, plus près de mon cerveau, une Claire qui m'inspirât davantage. Je ne m'excuse pas. Je raconte. J'aimai Claire.

Un autre eût divorcé. Ouais! Les avocats, les juges, au bout une Jeanne qui pleure. Alors, mentir? Et crac, un jour, on met le pied dans un mensonge et la vérité vous attrape en dessous, par la jambe. Ne pas mentir, ne pas peiner, mon amour à l'une, de l'affection pour l'autre: être simple.

Je dis à Claire:

– Tu le sais: il y a Jeanne.

À Jeanne:

– Sache-le : il y aura Claire.

Je comptais sur le temps... Du complexe au simple, je m'attachai deux femmes : l'une qui aurait dû l'être et ne l'était pas ; l'autre qui le restait et ne l'était plus. Les deux souffraient. Et moi, pour elles.

De plus : de Jeanne, je ne voulais pas d'enfant. Claire en avait un tout fait qui allait sur ses quatre ans. C'était quand même plus compliqué.

Un peu plus tard, pour cet enfant, Claire voulut s'établir à Paris. Suivre Claire fut simple. Mais quitter Jeanne ?

Je dis à Jeanne :

– Tu viendras avec nous. Comme les questions de logement se compliquent, tu vivras avec nous.

Je vous entends. Deux femmes ! le pacha ! voilà l'amoral. Je ne dis pas qu'en pensée... En fait tout était convenu. Ne pas tourmenter, ne pas souffrir, être simple. Claire serait ma femme, Jeanne la maman. Elles étaient également douces... Ah ! monsieur ! Mettre un peu de sucre à côté d'un peu de miel et faire sauter une maison !

Je fus fixé dès le premier contact. Nous logions à l'hôtel. La cuisine en commun, une chambre pour Claire, une chambre pour Jeanne, on n'en trouva pas pour moi. Claire après tout ma vraie femme, me voulait dans la sienne. Jeanne, pour les mêmes raisons me voulait aussi dans la sienne, du moins quand passait la concierge, car qu'aurait dit cette dame ? Et cette dame passait tôt le matin, tard le soir et à n'importe quel moment de la journée. Où me tenir ? À la nuit, c'était un déchirement, parce que je m'enfermais chez Claire; le matin, déchirement parce que l'allais chez Jeanne. Nous mangions en commun, on glissait des lettres sous la porte. Quand il y en avait deux, je me tirais d'affaire:

– Lis Claire... Lis Jeanne.

Mais quand il n'y en avait qu'une?

Dans la rue, si j'accompagnais Claire, pourquoi ne sortais-je pas avec Jeanne? Entre les deux: Attention! n'étais-je pas plus près de l'une que de l'autre? J'étais toujours tendu. Autant sortir seul, ou ne pas sortir du tout.

Et ce qu'il me fallait entendre! Elles avaient des goûts opposés.

– Ta Claire n'a pas d'ordre.

– Ta Jeanne, comme elle est matérielle.

– Non mais! Toutes ces couleurs sur ce chapeau.

– Quel mauvais goût! Une pareille robe.

Je dis le moins grave.

Heureusement l'enfant de Claire n'était pas là. Ce que je ne comprends pas: sans moi les deux femmes s'entendaient assez bien.

– Je fais un point à votre robe.

– Voici comment vous devriez arranger votre coiffure.

Quand j'arrivais, tout sautait. Je ris: à distance cela paraît drôle. J'étais maigre: deux meules m'écrasaient, l'une à droite, l'autre à gauche, et les deux l'une sur l'autre. Moi qui voulais la paix pour écrire!

À la longue, on ramena les choses où elles en avaient été. Claire se logea au bout d'une ligne d'autobus, Jeanne à l'autre bout. Seulement, elles se connaissaient à présent.

– Ah ! tu vas chez ta Jeanne.

– Ah ! tu me laisses pour ta Claire.

Je passais mon temps sur la ligne Z. Être écrasé cela fait mal : j'étais maintenant écartelé.

Comment écrire là-dedans ?

Ce fut Jeanne la plus raisonnable. Un jour, elle dit :

– C'est cela Paris ?

Et partit.

Dès lors, il ne resta plus qu'à divorcer. Oui ! mais peiner Jeanne...

II

J'avais eu de la chance. Quand on débarque à Paris, avec des manuscrits dans une valise, on ne découvre pas comme ça un éditeur. J'en découvris un. Le premier manuscrit était devenu un livre, les autres le deviendraient. Pour un écrivain, les livres terminés ne comptent guère ; bien ceux qu'il veut écrire. J'en projetais beaucoup. Écrasé, écartelé, même égoïste, Martin n'y avait pas songé. Jeanne partie, je m'installai chez Claire. Et alors, croyez-vous, tout redevint simple ?

Faites une supposition. Tout plein d'idées bourrent la tête de Jean Martin. Il va les sortir. Le voici devant sa table. Il trempe sa plume et...

D'abord les distances ne suppriment rien. Jeanne partie, il restait la pensée de Jeanne. Il m'était arrivé une singulière aventure. J'avais eu à me rendre dans l'appartement où elle ne se trouvait plus. Les chambres étant vides, j'oubliai qu'il ne suffirait pas de donner un coup sur la porte. Je me tâtai, je ne trouvai pas ma clé. Une des fenêtres était ouverte et donnait sur la cour. Je passai par celle du palier, puis en équilibre le long des fers d'une marquise. Rentrer chez soi, par une fenêtre, en acrobate, quand les voisins savent qu'on a été « plaqué par sa femme », c'est un exercice humiliant. J'aurai pu en garder rancune. Le plus grave c'est que le spectacle fini, je n'avais pas du tout oublié ma clé : elle était dans ma poche. En fait de clé, je n'avais perdu que la tête. Et puisque je parle de ma tête, les derniers temps, Jeanne se montrait si hargneuse que je m'arrachais les cheveux de cette tête :

– Mon Dieu ! Mon Dieu ! quand donc aurai-je la paix.

Jeanne partie, devant ma table, chez Claire j'aurais pu dire :

– Enfin ! J'ai la paix.

Et pas du tout ! Pourquoi partie ? Qui l'a rendue hargneuse ? À qui la faute ? Quand on vient de mouiller sa plume, mauvais début.

Maintenant, pensez à l'immeuble. Soixante appartements, ce qui signifie autant de fenêtres multiplié par trois. Je me suis demandé deux choses. D'abord, à quoi servait ce réverbère planté tout seul dans la cour ? Ensuite, si les fenêtres ont des sentiments ? Nos trois fois soixante fenêtres semblaient honteuses. Les gens qui vivaient derrière, faisaient de leur mieux : rideaux de soie, tringles de cuivre, bouts de dentelles qu'on appelle brise-bise, ils y accrochaient des objets de choix. Elles n'en restaient ni plus ni moins d'humbles fenêtres qui ne prendraient jamais le jour, que sur cet unique réverbère planté comme un idiot dans cette cour. Être humble, après tout, ce n'est rien. Elles avaient des choses à dire. Elles servaient de haut-parleurs aux dames-locataires qui publiaient par là qu'elles avaient bien dormi. Elles servaient d'abat-sons aux pianos de ces dames qui avaient si bien dormi. Elles rappelaient les canons de la guerre parce qu'on secouait les tapis. Elles... La plume à la main, j'entendais tout.

Il faut tenir compte aussi des incidents que je n'aurais pas pu ne pas apercevoir. Il y avait, par exemple, « la dame d'en face ». Jour et nuit, une de ses fenêtres restait ouverte. Une cage pendait sur le côté, avec une pie. La dame arrivait, saluait : « Bonjour, fifi !... Bonjour, fifi ! », s'en allait. Elle revenait, saluait : « Bonjour fifi !... Bonjour... » Je ne suis pas méchant : j'abandonnais ma plume, je me voyais très bien armant un fusil, et envoyant mon plomb dans son prochain « fifi ».

Si j'oubliais la « dame d'en face », je pensais au monsieur « d'en dessous de la dame d'en face ». Ce monsieur tenait du géant. Deux mètres de haut. Je ne sais combien en rond. Au moins soixante-quinze kilos de ventre. Il les transportait sans un instant de repos. Je le voyais marcher. Première fenêtre : son ventre ; deuxième fenêtre : son ventre. Je réfléchissais à des problèmes. Comment ces kilos et ces mètres pouvaient-ils se mouvoir entre des murs si rapprochés. Et si un jour, ils cessaient de bouger, pour sortir le cercueil, quelle affaire !

Faut-il parler des distractions qui m'arrivaient par le nez ? Si j'ai horreur des oignons, je déteste aussi les choux.

Voilà pour les fenêtres.

Passons à nos chambres. Claire, sa fille Michette, moi, nous étions trois. Quand je poussais une porte, je n'étais jamais sûr si je ne l'enverrais pas dans un coude, ou ne défoncerais un derrière. Il y avait aussi mon brave chat, Ami-Chat, dont je n'aurais pas voulu écraser une patte.

Pour écrire, je m'installais dans la pièce d'entrée qui eût dû servir d'anti-chambre. Derrière ma table, j'avais toujours un peu l'air du garçon de bureau qui s'occupe, en attendant qu'on tire la sonnette. Elle pendait au plafond dans un coin. Quand je levais le nez, mes regards tombaient dessus, mes réflexions dedans. Mes plus belles idées sont mortes, la langue dehors, au battant de cette sonnette.

Claire donnait des leçons de piano. Pour les unes, elle se rendait en ville : c'était bien. Pour les autres, les élèves venaient. Elles s'y mettaient parfois à quatre mains, pour que cela fît plus de bruit. Je ne pouvais rien dire : c'est la vie. Je laissais là ma plume.

De plus un cabinet de travail, anti-chambre, c'est un cabinet de travail par où tout le monde passe. Je tenais à mon porte-plume. En avait-on besoin, on savait où le trouver. On ne le remettait jamais en place. Ou bien ma plume était faussée. Ma table quand on rentrait, on s'y débarrassait qui d'un gant, qui d'un cahier, qui d'un paquet de farine. Ami-Chat dormait sur mes papiers ou délayait avec le noir de ses pattes, le noir que j'y avait mis avec de l'encre. Avec le reste, cela me troublait.

J'aime les idées et les objets bien d'aplomb. Claire portait des soucis plein la tête. Elle n'en portait que trop. Alors elle manquait d'ordre. Si elle me rendait des livres, elle les déposait en pile, à l'extrême bord de la table en tour penchée de Pise ; de même, sa vaisselle, dans sa cuisine ; de même ce qu'elle disait, des paroles pêle-mêle, en tour penchée de Pise. Cela ne tombait pas, cela aurait pu tomber. Mon esprit attendait : rien de plus énervant.

Voilà pour l'intérieur.

Une question en passant : pourquoi installe-t-on un ménage derrière une porte pour l'ouvrir ? Un rien de métal, forgé en clé, serait plus simple. Au guichet de sa loge, notre concierge était toujours « dans l'escalier ». Elle cirait les marches du A, battait les paillassons du B, astiquait les cuivres du C. Ses travaux s'entendaient. Elle en voulait aux chats qui répandaient, disait-elle, du flan sur ses paliers. Elle gardait à portée une barre de fer pour assommer ces sales bêtes. À cause d'Ami-Chat, quand j'entendais « flan » je sursautais comme sous la barre de fer... Je laissais là ma plume.

Que dire des automobiles ? J'ai vécu à la campagne où il n'en passait pas, puis dans une ville où il n'en passait guère. Ici, il en passait trop. Si je sortais, je le savais d'avance, à peine sur le trottoir, j'en verrais une, j'en verrais dix, j'en verrais cent, je serais happé. Vous êtes fiers d'avoir inventé ces machines ! Ces secousses qui vous remuent dans le ventre, ce tonnerre de ferrailles, cette fumée qu'elles ont raison de souffler par derrière, car elle n'est rien moins qu'une haleine : vraiment, vous auriez pu trouver autre chose à verser dans leur moteur. Et leur cri comme un renvoi d'ivrogne en pleine figure ! Il me tournait le cœur. Depuis quatre ans, j'aurais voulu passer un jour sans les entendre. J'ai essayé de tout : me réfugier dans vos rues les plus étroites, me planter au beau milieu de vos parcs, leur bruit me rattrapait, monsieur ! Enfin soit, comme on dit, la rue est à tout le monde. Mais à qui mes oreilles ? Je les bourrais d'ouate, je bouclais mes fenêtres, je fermais les portes. Je n'allais pas chez eux : de quel droit pénétraient-ils chez moi ?

Maintenant, pensez au silence : cette sérénité, cette présence que l'on ne voit pas, ce quelque chose où rien ne bouge, si calme, si vaste, si doux, qu'on ne sait plus, si on ne se jetterait pas à genoux les bras au ciel pour prier ou pour pleurer. Et faites le compte : les fifi de la dame, les kilos du monsieur, les flans de la concierge, les autos, les pianos, des mandolines, des phonographes, les violons des bougres qui venaient chanter faux dans la cour. Total pour un écrivain qui veut travailler dans le silence ?

III

Le total fut une formule :

– Ce qu'il me faudrait ? Une chambre pour moi seul. Un porte-plume pour moi seul. Une table pour moi seul. Et alentour quinze kilomètres de silence.

Pour mon travail, Claire ne traînait jamais. Elle dit :

– Tu demandes beaucoup, mais enfin nous trouverons.

Le jour même, nous battîmes les environs de Bourg-la-Reine. Vous connaissez le pays : le gros de la ville dans le bas, la route d'Orléans, en liberté quelques arbres, des terrains à choux qu'après un petit verre de Gaillac on peut appeler des champs. Nous ignorions le Gaillac : sa saveur imprévue m'avait mis en bonne humeur.

Nous visitâmes d'abord quelques réduits, mansardes et soupentes que je déclarai « infects » malgré les promesses de leurs pancartes : *Jolies chambres meublées*. Puis nous remontâmes vers le haut où nous découvrîmes une bicoque plus avenante. Elle s'étalait en longueur dans un jardin, toute de plain-pied, ce qui, pour Ami-Chat, serait un avantage. On entrait par une petite porte à travers une haie et cette petite porte était bien amusante. Au-dessus, pendait une botte en bois rouge, et cette botte aussi était bien amusante. Il est vrai, elle annonçait un cordonnier, mais en plein air le bruit d'un marteau ne s'entendrait pas. Il est vrai aussi que le propriétaire se composait de ce propriétaire, de sa femme et de leurs deux enfants : quatre personnes avec leur bruit. Mais l'homme dissiperait le sien en travaillant à Paris ; la femme, en faisant au loin des ménages ; les enfants, en apprenant l'alphabet à l'école. D'ailleurs la chambre qu'on m'offrait se trouvait à l'écart, à l'extrême bout de la maison. Ce n'était pas exactement quinze kilomètres ; mais en n'y regardant pas de trop près, la pointe d'un cyprès, derrière une grosse usine, en donnait l'impression. La chambre aussi était très bien. Elle possédait une porte et une fenêtre. En ouvrant l'une ou l'autre, j'aurais de l'air. L'une et l'autre, encore plus d'air. Non seulement il y avait une table, il y en avait deux ! Il y avait un poêle : j'y ferais du feu ; un lit : il serait mon divan ; des murs, j'y clouerais des cadres. Et l'armoire donc ! Elle était à glace, ce qui me gênait, mais avait des planches, de quoi ranger mes livres.

– Voilà. Tu es content ? Quand tu voudras travailler en paix, tu viendras ici.

– Pour sûr ! Dès demain, et tous les après-midi.

En nous retirant, nous eûmes une petite surprise. Tout près, se haussaient les bâtiments d'une autre usine, dont la cheminée me parut donner une fumée bien épaisse. Mais le vent souffle où il veut et n'enverrait pas forcément cette fumée tous les jours de mon côté. Par contre, Claire lut sur une plaque un joli nom :

– Tu vois ? *Chemin du Port Galant.*

– Tout à fait chic.

Je me demande encore où se trouve ce port et à quoi rime ce « galant ». Et alors, n'est-ce pas, tout fut bien ?

Le lendemain, j'amenai mes paperasses. Un journal m'avait demandé un article. Le soir il était amorcé. Le lendemain, il fut sur pied. Le troisième jour...

D'abord, un ami plaisanta :

– Ah ! Tu Bourg-la-Reine ? Moi je Choisy-le-Roi.

Quel jeu de mots stupide !

Ensuite, je m'en aperçus tout à coup : la route d'Orléans grondait comme une rue de Paris. Il n'y avait pas seulement les autos qui passaient. Une maison dans le bas m'envoyait le bruit des autos qui avaient passé ; une maison dans le haut, celui des autos qui allaient passer. Quand par hasard je ne les entendais pas, je prêtais l'oreille et déjà je les entendais. Encore une façon de passer et la plus agaçante !

Et des tramways passaient aussi.

Puis il y eut Ami-Chat. Je ne sais si vous pensez comme moi ? Une dame, un jour, me racontait une histoire. Elle avait eu un chat ; il était devenu « sale » ; elle avait décidé de s'en débarrasser. Par malheur elle venait de lui acheter sa provision de foie. Alors de repas en repas, elle lui donnait sa part :

– Régale-toi, Minet. Dans trois jours, dans deux jours, tu ne te régaleras plus.

Tout en parlant, elle agitait un filet alourdi par un gros rosbif. On voyait le sang sur le papier. Je suis poli : je ne disais rien. Je pensais :

– Charogne de charogne ! Je souhaite qu'il t'en arrive autant avec ta charogne de bidoche.

Eh bien ! sa bidoche ne devait pas être loin : un matin on la trouva morte dans son lit.

Voilà, monsieur, ce que c'est qu'un chat. À cause de la concierge, je voulus le mien près de moi. Je n'aurais pas été tranquille. Je l'amenais. Nous prenions le tramway. Claire m'avait confectionné un sac. Ce sac aurait pu être noir, ou d'un gris peu voyant. Il était rouge. Ami-Chat aussi était rouge. Son corps là-dedans, sa tête dehors, le tout sur mes genoux, il travaillait des pattes pour sortir. Je travaillais des miennes pour qu'il reste. J'en devenais comme le sac. Le rouge du chat, le rouge du sac, le rouge du monsieur, les receveurs nous connaissaient... L'article demandé resta en plan.

À la longue, je dis à Claire :

– Tous ces voyages m'énervent. Puisqu'il y a un lit, je logerai là plusieurs jours à la file.

Et alors, n'est-ce pas ?... Attendez.

D'abord, puisque je n'étais pas à la maison, je m'inquiétais de ce qui s'y passait. Si Claire tombait malade ? Si Michette obéissait mal ! Au courrier, combien de lettres ? Et peut-être des urgentes ? Ensuite les autos. Je n'entendais plus ceux du jour, j'entendais ceux de la nuit. Les tramways remisés, il y avait une voie ferrée et ses wagons de marchandises. Ami-Chat voulait de l'air. J'avais le choix : ouvrir la porte, fermer la fenêtre ; ouvrir la fenêtre, fermer la porte. Nous étions en hiver. Le passage fait, Ami-Chat s'installait au haut de l'armoire, puis plongeait sur mon lit, plouf ! Il invitait des camarades qui forniquaient – aussi sur mon lit. Il attrapait des souris qui piaulaient parce qu'on les croquait – également sur mon lit. Il me poussait avec son dos pour avoir la bonne place – également dans mon lit. Chaque nuit je me grondais :

– Pour un chat ! Tu es trop bête !

De plus, à cause du Gaillac, nous ne l'avions pas remarqué : sur un des murs, j'avais pu en effet fixer un cadre et facilement puisqu'il était en planches. Quelqu'un couchait de l'autre côté. Ce bougre, quand il se grattait, j'entendais ses ongles râcler ses cuisses. Je l'épiais. Quand il ne se grattait pas, il s'était gratté, il aurait pu se gratter.

Voilà pour les nuits.

Le jour, le cordonnier luttait avec ses semelles. Elles étaient dures. Il frappait fort. Au lieu de faire son bruit en ville, le propriétaire le faisait à la maison, parce qu'il était de repos. Sa femme négligeait ses ménages ; les enfants, leur alphabet. Je n'étais jamais seul. Livré à moi-même, sans un des miens, parmi ces étrangers, je n'osais pas bouger. Il fallait cependant que je mange : un œuf est vite cuit. Comment, sans qu'elle grince, déplacer une casserole ? Comment charger mon feu ! Et l'eau, dont le robinet s'exposait à la vue de tous, en plein milieu du jardin.

Pour certains besoins, l'endroit se trouvait à l'autre bout de la maison. Je devais me glisser dehors, raser la façade, filer sans être vu devant les fenêtres, pénétrer – pénétrer ! – dans l'atelier du cordonnier. Son marteau en l'air, il levait la tête. Il fallait dire une gentillesse à cet homme : « Petite gelée blanche, ce matin» «Cela marche, le travail?». Je ne pouvais cependant lui présenter tous les jours des semelles à clouer.

Et les meubles, monsieur! les deux tables, l'armoire à glace. Elles se fichaient de moi. L'une des tables ne valait rien; l'autre était ronde: ronde quand pour écrire, il faut des angles droits où poser les coudes. Elle prenait un air innocent, puis tout à coup levant ses pattes de devant, se dérobait de ses pattes derrière. Avec mes papiers, mes idées se dispersaient par terre. L'armoire? Qu'avais-je besoin d'une armoire à glace? Elle s'obstinait à me présenter un second Jean Martin qui aurait pu attendre que je fusse sorti pour jouer les doublures. À l'intérieur, je rangeais mes livres, mes papiers, un peu de vaisselle. Quand je levais la main vers la porte, elle hurlait à faire croire que j'étais en train de violer une femme. Son tiroir aurait pu me rendre service. Il s'accrochait comme un chat qui ne veut pas qu'on le prenne, puis sans raison, lâchant tout, vomissait par terre, mon poivre, mon sel, mon sucre.

Au bout d'un mois de cette vie, il se passa de drôles de choses dans ma tête. Peut-être qu'exauçant en bloc mes prières, mon Bon Ange m'envoyait d'un seul coup, toutes les «cinq minutes» qu'il m'avait refusées autrefois. Je ne dormais plus, je devenais nerveux. Quand une action me paraissait mauvaise, l'envie me prenait aussitôt de la faire. Trois fois par nuit, à travers sa cloison, j'arrachais les ongles à mon voisin. J'étais incapable d'écrire. Quand je pensais à un sujet, une automobile m'en amenait un autre, que l'automobile suivante m'arrachait. Dans la rue je voyais un chien, un chat. Tout de suite après, je revoyais ce chien, ce chat, seulement dix mètres plus loin et c'était une femme. Sur ma table traînait un sachet avec le nom du fournisseur : Chauffeton. Il m'obsédait : « Chauffeton... chauffe ton... en fin de compte chauffe ton quoi ? » J'avais beau déchirer ce papier ; le lendemain : « Chauffeton... chauffe ton... chauffe ton quoi ?... »

Je pensais aussi. En général, je ne parle guère. J'ai toujours beaucoup de choses à me dire. Je me racontais des histoires... Dieu ! ce que je m'en suis raconté des histoires !

IV

Je me racontais l'histoire de Claire.

Je vous ai montré une Claire accidentelle, une Claire à... explosions parce que, stupide, je l'avais mise en contact avec Jeanne. Ce n'est pas la vraie Claire, celle que je nomme la « bénie entre toutes les femmes ».

Elle ne manquerait pas une visite. Vous la connaissez, monsieur. Elle est venue hier, elle est venue aujourd'hui ; elle viendra demain. La voir une fois, on n'oublie plus ce visage. Pas besoin de rouge sur les lèvres, de couleurs sur les joues : une vraie Madone et les sept glaives de la Douleur dans le cœur. Pourtant, elle n'est pas austère : elle est grave. Je ne crois pas que jamais une vilenie ait touché sa pensée. Comme d'autres ont la religion de Dieu, elle a la religion de l'Art. Ses yeux rêvent. Quand son âme souffre, sa bouche se tait. Une vie poignante. Une abnégation si grande qu'il m'a fallu des années pour la voir. Un front qui pense. C'est à cause de ce front que je l'ai aimée tout d'abord. Avec cela elle est solide : des épaules à porter sa croix, et quelques autres.

Qu'ai-je fait de cette Claire ?

Elle se plaignait quelquefois :

– Je suis morte.

Je la blaguais :

– Voyons ! Ces beaux yeux, ces belles joues, ces... Tu es une morte bien vivante.

Et pourtant si ! Oh ! je ne l'ai pas tuée le premier. À l'âge qu'atteint maintenant sa fille, elle a aimé quelqu'un, un peintre, et je vous le dis, digne comme artiste, de ce qu'elle était, jeune fille. Ce n'était pas un peintre comme on en voit : une poire, une pomme, une pipe, quelques taches de rouge, de bleu, de vert sur un carré de toile. Très romantique. Des sujets d'envergure, une inspiration de visionnaire. Trop d'orgueil peut-être et un peu de folie : toujours en lutte avec des ennemis dont il n'eût su dire le nom. À vingt-cinq ans, tout le monde le connaissait. On parlait de son nez « campé comme un défi au milieu du visage ». On répétait ses mots. On se pâmait : « Oh ! le Maître. » On prononçait le mot « génie ».

Je l'ai connu plus tard ; il m'est arrivé de lui dire : « Maître, je me déroulerais comme un tapis sous vos pieds. » Il est vrai, beaucoup de bière anglaise avait préparé le tapis. Enfin soit. Claire l'a aimé et, sans doute, plus qu'elle ne m'aimera jamais. Elle pense encore à lui et, sinon l'homme, elle admire l'œuvre. Je m'en console. N'importe qui n'aurait pu se faire aimer après le grand homme. Je crois que si je m'obstine au travail, c'est que je veux produire, moi aussi, des œuvres dont elle soit contente.

D'ailleurs, il ne s'agit pas de moi.

Ils souhaitaient un fils. Ce fils fut une fille. Puis le père eut d'autres devoirs.

Avoir aimé, aimer encore, porter cette plaie, dans les bras une Michette, on est déjà un peu morte. N'importe ! son intelligence, sa volonté, elle ne resta pas longtemps morte. L'aimé était un artiste : elle serait une artiste. Il s'affirmait par des tableaux : elle s'affirmerait par la musique. Une devise encourage : « Va outre ». Elle eut sa chambre, dans sa chambre un piano, près du piano un berceau, un bébé qui trottine. Elle travailla : un échec pour mieux rebondir, un prix, un concert – des concerts : le succès.

Cela ne se passait pas à Paris. Ce sont de beaux jours. En ce temps, elle ne fut plus morte. Le peintre lui avait laissé son empreinte : une pensée qui se veut noble, l'amour de la beauté, un dédain peut-être exagéré de ce qu'on appelle « les viles contingences ». Elle était la Claire de ses rêves. Celle qui passe dans la rue : « Seule je suis, seule qu'on me laisse. » Celle qui trotte pour donner les leçons qui font vivre, mais rentre vite parce que, plus haut que l'argent, il y a l'idée ; parce que, dans les cahiers ouverts devant le clavier, l'attendent les Maîtres de la musique dont il faudra, du plus aigu de l'intelligence, pénétrer la pensée. La Claire de son but, la Claire du travail, la Claire au beau front ; celle que j'aimai, monsieur. Je n'aurais pas dû.

Qu'étais-je moi ? Un piteux journaliste qui détestait son métier ; un Martin et son égoïsme ; des projets de livres en détresse ; une épouse matérielle ; pour tout avoir, en latin : *Timor Domini...* De telles femmes sont rares. Si les Jeanne sont précieuses dans un ménage, les Claire sont précieuses pour le cerveau. De quel droit me jeter en travers de sa vie. Elle m'avait repoussé, je m'étais obstiné.

Je lui disais :

– Je vous vénère.

Eh ! oui, je la vénérais ; mais j'aurais dû comprendre : ces femmes on les vénère autrement qu'en paroles. Ces concerts dans sa ville, il faut qu'elle les donne en d'autres villes : on la présente dans des salons, aux réceptions, dans le monde. Ces leçons qui lui mangent son temps, on est homme, mille dieux ! à gagner la vie pour deux, pour trois puisqu'on acceptera Michette. Sinon, on pense à la démarche de cette femme : « ... seule qu'on me laisse ». On fait de son cœur une pierre et :

– Va outre.

Le Martin, émule de Louis de Gonzague, en ce temps, s'était inquiété :

– D'abord tu es marié. Tu lui offres ton amour : es-tu sûr de la rendre heureuse. Tu t'accroches, pour qu'elle te sauve. Avec Jeanne, tes livres en projets, resteront en projets. Avec Claire tu écriras. Tu redeviendras l'égoïste : tu feras fi des salons où l'on pousse une Claire, tu mépriseras l'argent, tu exigeras le silence : prenant tout que rendras-tu ?

Ces scrupules, quand on aime, ne durent pas longtemps. J'étais sincère en mentant. Je l'implorais.

– Je ne vous demande qu'un tout petit coin...

Je suppliais :

– Je serai votre moine.

Ah ! oui. Le coin obtenu, le moine eut besoin de place. Parce qu'en effet, on l'encouragea : « Tu dois écrire » il voulut dans cette place, une table, sur sa table, des papiers ; autour des papiers, le silence. Il lui arriva de dire à celle dont il « vénérait » l'art :

– Ton piano, fort bien ! Mais moi aussi je travaille.

Avais-je raison ? Avais-je tort ? Mais au point de vue de Claire ?

Encore si elle avait pu se consoler :

– Je suis seule sa femme.

Eh ! non ! Je ne voulais pas peiner Jeanne. De plus, les tracas pour Michette. Michette grandissait : l'école, des robes plus grandes, des chaussures plus coûteuses : des leçons en plus, de l'Art en moins.

Sa tristesse, je vous la raconte comme j'y pensais à Bourg-la-Reine. Au moment même, je ne la soupçonnais pas. Claire ne se plaignait pas. Ces leçons en plus, elle en semblait contente. La place, elle la cédait de bon cœur à son moine. Martin heureux parmi ses papiers, tout le monde n'est-ce pas, était heureux. Il fallut je ne sais quel mot, un jour. Je compris : Claire était morte. Après l'autre je l'avais tuée.

Quand on a balancé entre le robinet qui empoisonne et l'eau qui purifie, malgré les maîtresses plus tard, on garde ses scrupules.

Ou ses remords.

Ils m'avaient tourmenté autrefois : ils me poursuivaient dans la chambre de Bourg-la-Reine.

Cependant non. Souffrir : le cœur pénètre plus avant dans la vie. En ce cœur, elle portait son Jean ; elle pensait : « Il travaille, c'est à cause de moi. » Elle y portait sa Michette, une future Claire, qui sait ? Notre logis en ce temps était « l'usine ». Elle dans sa chambre, moi dans la mienne, nous nous acharnions. Le soir, on se retrouvait :

– Aujourd'hui, cinq pages !

– Moi l'adagio de ma sonate.

Si donnant plus de leçons, elle s'affirmait moins en public, des amis venaient qui l'écoutaient mieux qu'un public. D'ailleurs, les salons, les réceptions, elle ne les aimait pas plus que moi. Elle trouvait, par contre, les bonnes heures où l'on travaille seule, où ces musiciens, mon Dieu, comme on sent les choses qu'il leur reste à vous dire !

Peut-être moins la Claire de ses rêves, mais dans la beauté de son cœur, dans son esprit épanoui, la Claire selon la vie : la vraie Claire.

Cette époque ne fut-elle pas la meilleure ?

Eh ! oui, comme partout, il y avait, entre nous, des épingles.

Cette admiration qu'elle donnait si volontiers aux œuvres de son peintre, j'aurais voulu qu'elle en conservât un peu pour la mienne. Quand un passage me semblait bon, je le lui donnais à lire. Je la guettais. Pourquoi cette main devant la bouche ? Cette page si vite tournée ? Ce sourcil, si brusquement levé devant ma dernière phrase.

– C'est bien.

Évidemment, on dit toujours : « C'est bien ». Mais sa pensée, au fond ? Ses commentaires n'étaient jamais bien longs. J'en étais sûr. Elle comparait. Mes petites phrases, mes bonshommes sans prestige. Chez l'autre, des sujets empruntés à des livres : des Titans, César, Napoléon, le Dante, la Bible. Cela piquait.

Et puis il y avait Michette.

De Jeanne, je n'avais pas voulu d'enfant. J'aimais celui de Claire. J'avais promis :

– Elle sera la nôtre.

Oh ! Je l'aurais voulu. Seulement Claire avait beau l'installer sur mes genoux : « Embrasse-la » et moi l'embrasser, elle ne serait jamais la nôtre. Cette épingle piquait, je tâchais de n'y pas penser.

Le père se révélait quelquefois. Il envoyait des télégrammes : « Je pense à Michette », « Baisers à Michette » ou bien de longues lettres : « Je... Je... » Ses projets, ses adversaires, ses luttes, la victoire définitive, après quoi : « Espère... espérons » il assurerait l'avenir de la petite. Je connaissais la formule. Autres épingles.

Puisque le père existait, j'avais dit :

– Je serai le Grand Frère.

La maman avait imaginé une jolie histoire : elle se promenait en forêt, et voilà qu'un taillis lui offrait, bleu de froid, blanc de neige, un mignon petit Grand Frère pour Michette.

Le grand frère à la vérité comptait trente-cinq ans ; Michette, quatre. Cela lui valait des surprises. À l'école, on disait :

– Toi ! je t'ai vue avec ton père et ta mère.

– Mon père voyage. C'est mon grand frère.

– Ah ! tu as un grand frère maintenant. Il est moins jeune que ta mère.

Les Michette ne perçoivent pas ces différences. Elle m'aimait bien. C'est commode un grand frère. « Grand Frère, ce problème... – Montre » ce problème devient clair. On grimpe sur les genoux du Grand Frère. On se promène, on est fière de tenir par la main – plus tard par le bras – un si grand Grand Frère. S'il vous rabroue ! « Je n'ai pas le temps », s'il s'emporte : « Michette à la fin, écouteras-tu ta mère... », on sait bien, quelques grimaces de Michette et maman finira par se lasser, Grand Frère par se taire...

Tout aurait bien marché, si la mère n'avait pas été si molle. Un petit incident me le montra dès les premiers jours. Michette s'habillait pour l'école.

– Tu mettras tes bottines noires.

– Pourquoi les noires ! J'aime mieux les jaunes.

– Les noires, parce qu'il pleut.

– Pouah ! ces noires.

Noires, jaunes, au fond que m'importait ? J'intervins, en Grand Frère.

– Puisque maman te dit de mettre les noires, tu mettras les noires.

– Pouah ! ces noires.

– Sois gentille. Obéis. Elles sont belles les noires.

Cris, pleurs... Quand Michette s'en alla, elle avait ses chaussures jaunes.

Le lendemain, cela recommença pour une robe, puis pour ne pas se coucher, pour ne pas aller à l'école, plus tard, pour des sujets plus importants.

– Tu comprends... expliquait Claire.

Il pleuvait ou ne pleuvait plus, ceci, cela, pour cent raisons elle cédait « jaunes » quand d'abord elle avait voulu « noires ».

– Fort bien, Claire. Mieux vaudrait savoir d'avance, puis maintenir ce que tu veux.

Elle ne maintenait jamais. Quand j'intervenais on me trouvait dur : cela tournait mal. Si je restais dans mon coin :

– Vraiment, on le voit, tu n'es pas un père.

Que fallait-il faire ? Il eût été bon de guider à deux cet enfant. Ne le pouvoir : autre épingle.

– Au fond, disait Claire, tu es jaloux.

Bien sûr, comme en beaucoup de ménages, Martin n'était jamais si doux qu'en tête à tête avec sa Claire. Michette survenant, il devait grogner, attendre dans un coin, qu'on lui laissât une croûte. Point d'épingle en ceci. Il y a des faits qu'il faut admettre : une mère est une mère ; de l'homme à l'enfant, la part de l'homme est la moins forte, surtout quand il n'est pas le père. Je laisais rogner ma part. Est-ce être jaloux ? Claire lui parlait de son papa. « Papa qui peignait de beaux tableaux... Papa qu'elle devait aimer... Papa qui un jour... » Je me disais : « Oui... espère, espérons. » Pourtant, je parlais aussi de papa qui... de papa dont... Des visites venaient, Claire restait celle qui avait aimé le peintre. On ne se gênait pas devant moi : « Comment va le Maître ?... Et sa charmante enfant... Quand le verrez-vous ? » L'autre monsieur comptait-il ? Un intrus. Il écrivait ? Tiens ! J'étais peiné, je ne montrais rien. S'il y avait lieu, le monsieur glissait gentiment son petit mot.

J'admettais plus. Pour Claire, cet enfant n'était pas un enfant comme les autres. Avec émotion, elle l'avait senti remuer dans son ventre. Ce fils qu'ils attendaient, autant que de son sang, elle le nourrissait de ses illusions. Il ressemblerait au père, il aurait les talents du père, il... Et maintenant que ce fils était une fille : « Regarde comme elle dessine... Écoute ce qu'elle dit... » dans la bambine en robe d'écolière, il fallait discerner la grandeur qu'elle devrait à son père.

Je respectais ce sentiment. Quand même Claire exagérait. Sa fille était jolie ; elle était intelligente ; il lui venait des réflexions qui surprenaient. Mais « la plus jolie ? » « la plus intelligente ? » D'abord son nez était trop grand, un nez en pleine figure, tout pareil au nez de son père. Elle avait des défauts, aussi comme le nez de son père. Tenez ! Je me souviens d'une scène. On la gâtait au lit :

– Maman, tu m'apporteras deux tartines... Grillées... Très fines... Une au miel ; l'autre à la confiture... Et puis...

Rien ne manquait, sauf le petit mot qui eût montré, en cette enfant à l'estomac si minutieux, un peu de cœur pour sa mère.

– C'est naturel, disait Claire. Tous les enfants sont égoïstes.

Une fois en passant, soit. Mais quand ils le sont toujours. Je me crispais. Cette fillette que j'aimais, m'était souvent odieuse :

– Crois-moi. Pour elle, pour toi, corrige-la. Tu prépares un monstre.

Claire se fâchait. Moi aussi, quand on parle mal de mes livres je me fâche. Cela ne prouve pas que les critiques aient tort.

À la vérité notre vie entière tournait autour de Michette. Pour mon travail, je m'en suis vanté, je suis égoïste. Ah ! bien oui ! L'école de Michette, le lever de Michette, ses départs, ses retours, ses devoirs, ses cris, heure par heure il se réglait suivant les heures de Michette.

Des amis venaient, pas de ceux qui avaient connu le Maître, des amis à moi. Nous avions des choses à nous dire; Claire aurait pu jouer une sonate. Michette était de la fête: Michette sur les genoux du monsieur, Michette dans les bras de la dame, Michette et ses fables, Michette enfin couchée et revenant dans sa chemise de nuit pour nouer ses rubans à cheveux dans les cheveux du monsieur.

Sans être jaloux, on peut souffrir quand une enfant vous prend votre femme, votre temps, vos amis: tout.

Bah! elle était jeune. Je vous donne les idées des mauvais jours: les épingles, celles qui mènent à la Salpêtrière. Au fond, agaçante, énervante, Grand Frère aimait bien sa Michette. «L'usine» fonctionnait. Je m'intéressais à ses études; je la guidais de mon mieux. Comme Claire, je souhaitais que plus tard...

Si du moins, au lieu du nez de son père, elle avait eu... le mien: *notre* Michette.

V

Elle eut treize ans. Nous passâmes des vacances à Paris. Elle y connut son père.

Votre Paris de mai est un trompeur. L'air a quelque chose de tendre qu'il n'avait pas sous vos brouillards, qu'il n'aura plus sous votre soleil à mouches du plein été. Les gens ne courent pas : ils flânent. Vos marronniers se risquent à déployer leurs feuilles et leurs fleurs sont si fraîches que, peut-être, elles auront le temps de devenir des fruits.

Avec ses arbres taillés en mur de verdure, l'Avenue de l'Observatoire était bien belle... Méfiez-vous, monsieur. Quand un personnage de roman s'écrie : « Oh ! ces arbres !... Ces parterres... » ce qui suit, sort d'un cahier de notes, non d'un cœur. Une dalle de trottoir, sur cette dalle, cambré, déjà talon de femme, un talon de Michette, je ne vis pas autre chose :

– Je reste à Paris... Je veux rester à Paris... devenir une actrice... actrice... actrice...

Le talon scandait. Comme début de théâtre, c'était réussi.

Un monsieur nous accompagnait. Il admira :

– C'est beau une enfant qui affirme sa volonté. Il y a tant de nullités.

Les Messieurs disent cela et ne pensent pas à ce qui arrive après.

Claire était fière d'être la maman d'une enfant qui n'était pas une nullité. Moi, je connaissais le talon. Je serrai les dents.

Quand nous fûmes entre nous, je tins à Michette un petit discours en ce genre :

– Primo être peintre, secondo musicienne ; tertio marcher au plafond comme une acrobate, maintenant actrice. Tu as faussé déjà beaucoup de talons. En attendant use quelques semelles dans ton école.

– Non ! À Paris... Actrice... actrice...

Et le talon.

Je me tournai vers Claire.

– J'espère que tu ne vas pas pour un caprice...

– Ce n'est pas un caprice. C'est l'avenir de cette enfant.

– Ah ! l'avenir...

Toujours devant son piano, Claire ne soupçonnait rien de la vie. On doit se rendre en un endroit : on saute dans un métro, déjà on y est. Pour Claire, ce fut à peu près cela, Paris. C'était maintenant, et tout de suite, assuré l'avenir de cette enfant. C'était son propre avenir, c'était le mien. C'était en attendant, comme dans vos magasins, le bric-à-brac des grandes espérances et des petits agréments. Nous passions devant un café :

– Nous y rencontrerons des poètes. Dans l'autre, des peintres.

Elle admirait les étalages :

– Vois cette cruche : ce rouge fera bien entre nos meubles. Ce camembert ! on n'en trouverait pas chez nous. Ce beurre ! il vient de Normandie ; et ce miel, savoure donc : *miel du Gâtinais*, le mot déjà sucrerait une tartine.

Paris ? On s'arrêtait devant un libraire :

– Quand on y verra tes livres.

C'était le Louvre « où nous irions » ; le Luxembourg « où il y a des coins tranquilles, je t'assure », la Seine si belle le soir que peut-être elle roule des rubis et des lumières.

– Paris ? Ouvre les yeux. C'est ce quelque chose de spirituel, d'aérien que tu ne trouveras pas ailleurs...

– Comme le camembert ?

– Regarde le coup de chapeau de ce monsieur. Le sourire de cette dame. Ces ouvriers à cette terrasse. Avec leurs petites assiettes, sont-ils gentils !

– Ils en préfereraient de grandes.

– Allons donc ! Et ce gavroche ! Ce pochard ! Quel esprit.

Tout cela est très vrai. Je l'avoue, j'ai été sensible à la cruche. Mais je n'allais pas pour un peu de rouge... Je réagissais :

– Regarde sur ce banc, cette femme. Elle se tient le ventre, elle a mal. Qui lui vient en aide ?

– Parce qu'on ne la remarque pas.

– Justement : on n'a pas le temps. C'est cela aussi Paris. Et comment travailler ? Les autos...

– On s'y fait.

– L'argent.

– Tes livres.

– À condition qu'on les achète.

– ... et mes leçons.

– Si tu en trouves. Et ton recueillement, Claire ?

– Je donnerai des concerts. Tu sais Mme Raïda ?
– Madame qui ?
– Raïda : la pianiste, voyons ! Nous avons pris le thé. Des récitals autant qu'elle veut. Des leçons : trente, quarante, cinquante francs.
– Hum !
– Elle m'en a trouvé une.
– À trente ?
– Non à huit.
– Ce n'est pas...
– Bien sûr. C'est un noyau. Les autres leçons se gouperont autour.
– Ah ! un noyau !
Même à huit francs, c'est dur un noyau. Les arguments s'y cassent les dents. Alors, je me fâchais. Mais un Martin qui se fâche...
– Allons ! allons ! Tu grognes, Martin.
Il aurait dû grogner davantage. Et mordre ! Pauvre Claire !
Pour Michette, venir à Paris, ce fut simple. Elle y était :
– Je vous attendrai chez papa.
Pour moi aussi, la gaffe acceptée, ce fut simple. Mon journal ? Une démission est vite donnée. Jeanne ? Du sucre dans du miel, je ne m'attendais pas à l'explosion.
Pour Claire, elle eut, je crois, quelque tristesse. Elle possédait de ces meubles que l'on aime parce que, peu riche, ils vous sont venus un à un : c'est une armoire ancienne, c'est un prie-Dieu où l'on rangeait de vieilles reliures, c'est la bibliothèque ; ce sont, humbles et beaux, les compagnons d'un

travail qui ressemblait à une prière. Mais Michette, l'avenir de Michette !

Allons ! au plus offrant les meubles.

Elle avait des élèves : des amies. Les unes qui approuvaient : « Bien sûr, avec votre talent » : les intelligentes ! Les autres qui s'effrayaient : « Précisément, à cause de votre talent » : les jalouses.

– Allons, au revoir, les amies. À bientôt, les nouvelles.

Elle possédait, symbole de sa vie, avec sa lance, ses draperies, son casque, une Minerve. C'est lourd à transporter une Minerve.

– À qui en souvenir, la Minerve ?

Le reste dans des malles. Puis Paris.

Puisque nous venions pour Michette, nous découvrîmes assez vite l'école souhaitée qui, après des années, en ferait une actrice. Certes : pour l'avenir de Claire, il y eut d'autres thés, chez d'autres Mmes Raïda ; le beurre vint de Normandie, le miel du Gâtinais et la Seine, vraiment oui, certains soirs roula des rubis et de la lumière. Mais la cruche ? Où loger son beau rouge quand les chambres sont si étroites qu'il a fallu remplacer le grand piano par un piano droit ? Comment penser au Louvre, aux Vénus, quand les premiers jours, une Jeanne vous rappelle : « C'est moi, la femme de Jean Martin. » Et ces Mmes Raïda, comment ne pas vomir leur thé, quand, à vous jeter un noyau, elles gardent pour elles – et n'ont pas tort – le meilleur de la pulpe ?

Le noyau resta noyau. L'argent ne le resta pas. Ce ne fut pas long. Un soir Claire eut à franchir une certaine petite porte. Et cette porte qui annonçait : *Cinéma*, ne précisait même pas : *Entrée des Artistes*.

Pianiste de cinéma. Aucun métier n'est humiliant. Certains sont trop douloureux pour une Claire. Cette femme sous l'écran dans sa fosse, on ne la voit pas. Elle n'a pas de nom, pas de visage, un bout de profil mangé par les cheveux. Son art ? Le bruit qu'elle fait peut-être l'entendrait-on si tout à coup on ne l'entendait plus. Son talent ? Peuh ! c'est l'écran qui compte.

Pianiste de cinéma ? Eh ! on n'est même pas tout de suite, cette pianiste. On va s'enfermer dans un local. On perd son temps sur une banquette. On coudoie des Claires inconnues, les unes, ce qu'on deviendra peut-être, des pauvresses, les autres, ah ! Dieu ne veuille, avec trop de fard. On attend que certain coup de téléphone retentisse : « Dites donc ! Notre pianiste est malade. Envoyez-nous une remplaçante. » On n'est pas forcément cette remplaçante. Cette grosse part, puis cette maigre. Pourquoi pas moi ? Être encore la Claire de ses rêves et connaître, avec leurs petites saletés et leurs grandes amertumes, les intrigues de ceux qui luttent pour le pain. Le soir, on s'en va, la journée gâchée :

– Espérons que demain...

Il arrive ce demain. On descend dans la fosse. Trois sous de lumière dans un cornet de papier. Cette atmosphère qui pue, ces airs de sauvage que l'on ressasse, cette belle musique parfois, que l'on massacre, ici en vitesse parce que sur l'écran des chevaux galopent, là en ralenti pour donner au violon le temps d'étirer une phrase à effet, ailleurs que l'on casse un point d'orgue pour passer à une valse, parce que cette fois, sur l'écran, il y a des gens qui dansent.

J'attendais son retour. Elle regardait son piano : fermé. Fermé pour cause de décès ? Ses yeux étaient rouges : électricité ou larmes ? Ses doigts... Elle s'assoupissait de fatigue : énervés de leurs notes, ces doigts sautaient encore. C'est alors que l'on devient une Claire tout à fait morte, une Claire qui, au long de la Seine certains soirs, comprend que parmi les rubis et les diamants coule la vérité d'une eau noire où descendent les Claires qui sont mortes.

Par ma faute ? Je croyais le faux seul compliqué. Le vrai le serait-il davantage ? À la mesure de vos angles – et de mon cœur – il y avait de ma faute ; et tout au moins, j'aurais dû la sortir de là.

Mais pouvoir ! Je l'avais prévenue :

– Paris : un gouffre. Tu t'y lances, je t'y suis ! Que pourrais-je pour toi ?

Le Martin égoïste, le Martin qui aimait, les deux souffraient. Ils essayaient. Les livres ? Ah ! oui, à condition qu'on les achète. Les fabriquer sur mesure, en marchandises ? Claire, non plus, ne l'aurait pas voulu. Des articles pour journaux ? Se taire ici, glisser là, puis attendre que « cela passe ». Un emploi fixe, un « cinéma » pour écrivain ? Eh oui, un monsieur m'employait à l'heure, en femme de ménage. Il éditait un agenda. Je glanais des pensées : Stendhal, La Bruyère, Larochefoucauld. Il les croyait de mon cru. Sachant d'où je venais, il les jugeait « un peu province ». Cela lui coûtait moins cher. Alors, s'acharner sur de nouveaux livres? Pour cela: trouver la paix, être égoïste, m'abstraire de Claire. Puisqu'elle souffrait: cercle vicieux.

Malgré mes livres je l'aidais de mon mieux. Nous n'aurions pu prendre même un quart de servante. La vaisselle, le parquet, les lits, Michette à l'école, on s'y mettait à deux. Avec le reste, ces travaux dérangeaient le Martin égoïste. Il y allait de bon cœur. Pourtant si le miel et le sucre avaient pu se fondre ensemble...

Le chagrin rend injuste. Claire qui se taisait quand elle était morte en partie par ma faute, s'irritait maintenant qu'elle l'était malgré moi.

– Que fais-tu pour moi?

En effet, que faisais-je? Tout et rien. Mes livres la sauveraient si j'avais le temps et la paix pour les écrire. Mais trouver la paix, au milieu des reproches? Nouveau cercle vicieux. Je tâchais de lui expliquer.

Un jour nous avions voyagé en bateau-mouche. Je lui rappelais l'avis: *Défense de parler au pilote*.

– Toi, tu peux parler au pilote. Du moins, il ne faudrait pas que tu le grondes.

Cette image était juste.

Il est vrai, plus loin, un remorqueur tirait sur l'amarre pour sortir de son sable un chaland. Il n'y a pas longtemps, le remorqueur aurait pu s'appeler *Claire* et le chaland *Martin*.

Cette image aussi eût été juste...

Voilà pourquoi, entre l'égoïsme de sa tête et celui de son cœur, Martin pleurait parfois, dans sa chambre de Bourg-la-Reine.

VI

Encore si Michette nous avait donné quelque joie. Je ne pouvais penser à elle qu'avec chagrin. Oh ! pas pour moi. Pas à cause de ce qu'on aurait pu appeler de la jalousie, autrefois : cette enfant était en train de se perdre.

Quel dommage, monsieur, que les Michette n'aient pas toujours quatre ans. Ce serait simple. Treize ans, quatorze, quinze, mieux que moi vous savez ce qui se passe dans le cerveau des fillettes. Un jour, fini Grand Frère, je fus Jean. Un jour sa maman l'appela pour son bain. Non : désormais, elle prendrait seule ce bain. Quelquefois elle pleurait, parce que... parce que... elle ne savait pas. Les Michette ont des yeux, des instincts, une intelligence, qui changent et veulent savoir. Une maman, un Jean ? Fort bien, mais il n'y a pas qu'eux. J'ai mes idées et bien entendu plus justes que les idées de maman. J'ai mes compagnes. J'ai mon *journal*, mon tiroir. Gare à celui qui y farfouille !

Elle devenait jolie. Je me demandais quelquefois : « Qui rit ? qui tousse ? la fille ou la mère. » Le même timbre de voix. Elle avait aussi le beau front que j'aimais chez sa mère ; le menton ; quelque chose dans les yeux. Par contre le nez s'affirmait, outrageusement, modelé par le père.

Les mamans, si prévoyantes, ne prévoient pas tout. Elles disent :

– Prends garde. Si, dans la rue, un monsieur...

Un monsieur ! Et, sans le savoir, elles livrent leur Michette à une Dah !

Dah était la fille du peintre, la vraie, élevée par lui, c'est-à-dire sans méthode, parmi les déclamations de cet homme en lutte contre tout le monde pour un art qui dépassait celui de tous les autres.

J'en veux à cette Dah. Je ne serai pas injuste. Vous devinez ce que cette éducation donne. Au fond une malheureuse. Je la plains. Vingt-sept ans. L'orgueil de son père, avec des qualités en moins, celles-ci de seconde main et passées au féminin. Elle jouait un peu de violon, lisait le Dante, Platon, car un auteur plus simple eût été indigne d'occuper sa pensée. Elle se croyait d'une race supérieure, parce que son père étant peintre, elle peignait aussi. Les mots de tout le monde ? Pouah ! Elle exagérait les grands mots de son père qui déjà en abusait. Elle disait, par exemple : « L'Aigle ne prend pas de mouches », car, bien entendu, elle était cet aigle. Quand elle donnait sa langue au chat, elle « la jetait en pâture aux dragons de l'Apocalypse ». C'est fort bien, ces Dragons. Mon saint patron, l'apôtre Jean qui les vit dans son île, était un fameux bonhomme. Il ne les devait qu'à lui. Depuis qu'on les chevauche, ils sont un peu fourbus.

Avec cela, les colliers, les velours, les bandeaux, les attitudes, les oripeaux qui conviennent quand on est de celles qui ne mangent pas de mouches. Et maintenant placez là devant une Michette qui vient en vacances à Paris et se découvre, en même temps qu'un papa, une sœur.

Jusqu'à la pointe de ses cheveux, sans le savoir, Michette attendait l'amour; pour rien au monde, elle n'eût voulu de cette chose répugnante : l'amour. Elle cherchait un Idéal. Et alors cette Dah ! Vous connaissez le vocabulaire des jeunes filles qui en sont à leurs premiers poètes : cheveux d'ébène, yeux de diamant, reflet éthéré d'une âme, Dah détenait ces trésors.

Pensez donc ! Quand elle parlait du ciel, cela devenait tout de suite de l'empyrée. Elle lisait des livres avec des phrases entières écrites en latin. Ses tableaux : des dieux de papa, des héros, des apothéoses et puisqu'ils ne mangent pas des mouches, des aigles. Et son violon ! le Wagner qu'il jouait, ce n'était pas du quelconque Wagner; c'était ce qu'il y a de plus noble, de plus sublime dans ce déjà si noble Wagner !

Pauvre Michette ! Savait-elle au juste en quel siècle avait vécu ce Wagner ?

Dah s'amusa-t-elle ? Ou bien... ? Je ne le crois pas. Elle s'ennuyait. Une sœur lui arrivait toute fraîche à treize ans. Elle l'aima. Elle voulut l'entraîner dans l'empyrée des grands aigles. Un jour, elle dit :

– Tu seras mon amie, Michette.

Un jour :

– Mais oui, je t'aime bien, Michette.

Une autre fois :

– Reste sage. Tu n'aimeras que moi.

Ces mots étaient inoffensifs : Michette s'emballa, Michette flamba, Michette comprit qu'à jamais elle appartenait à Dah. Elle en fit le serment ; pour que ce serment fût définitif elle le boucla par du latin de Dah, transcrit avec son sang, en latin de Michette :

– *In secu la secu lorum.*

Je sais. Petits garçons, petites filles, nous avons tous écrit des billets avec des *toujours*, des *jamais*, soulignés trois fois. Mais pas à ce point. Michette, enfant nerveuse, était une exaltée. Elle crut à ses *toujours*.

Ces histoires se découvrent petit à petit. Le jour où elle joua du pied parce qu'elle voulait devenir actrice, on nous eût bien surpris à nous dire : « C'est une Dah qui actionne ce talon. » Et vous savez quels rouages ce talon mit en marche.

Certes, alors déjà, si on m'avait écouté, Michette aurait passé à gauche où Dah passait à droite. Mais elles étaient sœurs, Michette voyait son père : Martin, en conçût-il un chagrin, avait le droit de se taire. Il devait le constater cependant : « Cette enfant change. » Elle n'aimait plus sa mère comme avant. Ce qui était lenteurs d'obéissance chez une enfant gâtée devenait méfiance ou révolte chez une enfant méchante. Son humeur variait : tantôt morne comme un vieux corbeau, puis brusquement trop gaie. Les fillettes ont toutes des lubies. Claire ni moi ne supposions qu'on empoisonnait cette enfant.

Si, monsieur : on l'empoisonnait. Plutôt, elle s'empoisonnait... Et j'en rage !...

Au bout de quelque temps, le peintre et sa fille quittèrent Paris, pour s'établir dans le Midi. Michette était en vacances. Elle eut la permission de les accompagner. Une gaffe ! Je ne sais pas au juste ce qui se passa : la mer bleue, les promenades sous les oliviers, Wagner, et le violon au clair de lune sur la montagne, la lavande qui embaume, quand ce fut le moment de revenir, il fallut des lettres, des télégrammes, puis des « Reviens » formels. Nous commençâmes à comprendre.

Elle revint toute changée. Son talon qui frappait pour entrer au théâtre, frappait maintenant pour en sortir :

– Je veux devenir Carmélite ! Je veux devenir paysanne !

Carmélite dans une cellule pour penser à Dah ! Paysanne pour cultiver la terre dans le beau pays de Dah !

Je le comprends : elle se tourmentait. Si loin, les cheveux deviennent du sur-ébène, les yeux des sur-diamants, l'aigle s'élève vers je ne sais quel empyrée où ne se risquerait plus une mouche. Ce fut un grand malheur. Dah ! Dah ! Dah ! le reste ne comptait plus ; sa vie devint stupide. Il y eut, rendez-vous céleste, l'étoile qu'elle contemplait à minuit, parce qu'à minuit on l'a contemplée ensemble et qu'à cette heure, d'un autre coin de la terre un œil aimé la contemple. Il y eut, en double exemplaire, la bague : « Ne la quitte jamais. » « Je ne la quitterai jamais. » Il y eut l'église, où, devenue dévote tout à coup, on prie, se confesse, communie, parce que dans une autre église quelqu'un prie, se confesse, communie. Il y eut le livre sur lequel on s'endort, mais qui est beau, puisque Dah a dit : « Tu dois lire ce beau livre. » Il y eut, sur les murs de

Michette, les chefs-d'œuvre de Dah ! Il y eut, chef-d'œuvre des chefs-d'œuvre, dédicace des dédicaces, un Aigle et cette fois en latin : *Aquila non capit muscas*. Il y eut, dans les tiroirs secrets de Michette, de la lavande cueillie par Dah ; un mouchoir chipé à Dah ; roulé dans de la soie, puis dans du velours, puis dans de la toile, puis dans un journal, défendu par cinq cachets, un des cils si précieux tombés des yeux de Dah !

Enfantillage ? Je me plaignais aux amis. Ils pensaient comme vous : ils haussaient les épaules ; ils parlaient d'autre chose ; ils s'imaginaient sans doute que j'avais une marotte. L'idée en effet, m'obsédait, mais elle n'était pas fausse. Cette enfant trop sensible souffrait et j'en souffrais pour elle. Elle rêvait de suicide : elle voulait un amour douloureux ; pour obéir aux poètes, elle se devait, « d'arroser son amour de ses larmes ». Elle arrosait... tandis que ses études desséchaient sur place et qu'elle gâchait sa vie.

Elles s'écrivaient. Cette fois je suppliai Claire :

– Sois ferme. Interdis cette correspondance. Contrôle-la.

– Trop tard, croyait Claire.

Les lettres arrivaient. La mère ne pouvait les ouvrir, ni les lire. « Pour toi seule », les grandes enveloppes, la grande écriture, les grands Dragons de Dah. « Pour toi seule », les pattes de mouche de Michette qui se voulaient égales aux enveloppes, aux Dragons, à l'écriture de Dah. « Je suis ton page... Ton Orphée pleure... Ton Pétrarque... »

Les mots sont dangereux. Orphée n'avait pas faim ; le page négligeait ses cahiers, quant à

Pétrarque... Ce qu'il pensait de Martin m'est égal. Mais la mère ! Maman qui, pour cette Michette, avait planté là ses beaux meubles, son prie-Dieu, sa Minerve, son recueillement, son art. D'autres lettres venaient qu'elle pouvait lire, celles-là, à s'en broyer le cœur. Elles venaient de l'école : « Michette manquait de zèle. Si elle ne se corrigeait, on ne la garderait plus... »

Avais-je eu tort autrefois de me fâcher ? Elle savait maintenant ce que deviennent les enfants qui commandent leur pain, au miel, à la confiture, sans le mot qui vient du cœur.

– Maman, fais un peu de musique.

Fatiguée de son cinéma, maman devait se mettre au piano et jouer du Wagner qui rappelât celui de Dah. Alors, c'était bien. Mais le reste ? Une maman n'a pas le loisir de se draper dans les velours de Dah. On la surprend dans sa cuisine, les doigts parmi des pommes de terre et des légumes fi ! À cause de son abnégation même, chaque jour lui arrachait un morceau de sa fille.

– Michette, donne-moi un coup de main.

– Oui... j'y... vais...

Avec dégoût, car donner ce coup de main, eût dégoûté une Dah.

– Embrasse-moi.

– Ah ! oui...

Un coin de bouche en fuite sur un coin de joue, parce que les lèvres désormais appartienaient à Dah.

– Allons, Michette obéis.

– Non.

Avec des coups de talon, car après ce « non » on eût entendu le talon de Dah !

Ces scènes troublaient le Martin égoïste. Elles attristaient l'autre Martin. Elles l'attristaient pour lui ; elles l'attristaient pour Claire ; elle l'attristaient pour Michette. Celle-ci était mauvaise, mais souffrait après tout. Il aurait voulu la sauver, lui assurer l'avenir qu'elle s'était choisi, la rendre à Claire, pour que dans ce cœur percé de glaives, il y eut du moins ce bonheur.

VII

Et maintenant, ouvrons un nouveau compte. Vous avez noté : amoral. J'ai ajouté : égoïste et compatissant. Jeanne au loin portait sa peine ; Claire, la sienne ; Michette, sa part. Je les acceptais toutes. J'y joignais les miennes. Du complexe au simple, je m'étais entortillé dans un lacis de nœuds. Quand je déplaçais un bras pour donner de l'aide à droite, la corde pinçait à gauche. Et comment donner cette aide ? J'en revenais à mon point de départ : écrire. Au milieu des autos, des chats, des soucis ? Je m'interrogeais. Au temps de « l'usine », si je me décourageais comme tout homme, ce n'était jamais pour longtemps. À présent, quarante-sept ans, un « megnon », des lunettes. Dans un livre j'avais parlé d'une poule qui voulait pondre, s'efforçait, ne le pouvait et s'en allait triste, triste, comme un écrivain qui n'a plus rien à dire. N'étais-je pas un peu cette poule ? Vidé ! De quel droit alors, imposer des sacrifices aux autres, pour des œufs que je ne pondrais plus ?

Il y avait l'argent : ce sale argent qu'on fourre avec dégoût dans sa poche, et qu'on est heureux d'y fourrer. Un peu d'argent eût soulagé Claire, consolé Jeanne, sauvé qui sait ? mon travail. Le monsieur à l'agenda me payait. Je me réjouissais :

– Voilà de quoi m'acheter un mois de paix.

Cinq jours, six jours, j'en étais encore à chercher la paix, l'argent n'existait plus.

À force d'y rouler des réflexions, des choses de plus en plus drôles se passaient dans ma tête. Un chat, un chien, un arbre, ce qui entrait dans mes yeux, n'en sortait plus. Pendant des heures je le voyais. Un jour, je vis un long mur noir. C'était cela ma vie. Du côté de Michette, du côté de Jeanne, du côté de Claire, de mon côté, j'avais beau me tourner : un long mur noir.

Je le sentais : un médecin aurait pu me donner de l'aide. J'en vis un, un excellent homme, un écrivain. Il me reçut dans son cabinet de travail. Il classait des fiches en vue de son prochain ouvrage.

Il me dit :

– Je vois. Vous êtes fatigué. Variez vos occupations. Faites comme moi : classez des fiches.

Il dit ensuite :

– Vous vous plaignez du bruit. Moi quand le bruit me dérange...

La primeur d'une phrase que je lus plus tard dans son livre.

Il dit encore :

– Pas riche, non. Vous avez besoin de phosphore. Moi quand j'étais étudiant, je mangeais des lentilles.

Comme je partais, il se souvint. Il leva un index d'apôtre. Il ajouta :

– ... et de petits poissons.

Jésus-Christ, dont le royaume est dans les cieux, quand il levait le doigt, les poissons se multipliaient et nourrissaient les foules de la terre. Les doigts d'apôtres ne vont pas jusque-là...

Il m'arriva ensuite une série de mauvais jours.

Le boucher m'avait passé une coupure de cinq francs qu'il me refuserait demain parce qu'il n'en lirait pas le numéro.

Ou bien Michette m'avait épouvanté : « Un de ces soirs, quand je serais seule, j'ouvrirai le bec de gaz, tu verras. »

Ou bien ce gourmand d'Ami-Chat m'avait dégoûté à jamais d'un conte en vomissant dessus son dîner et justement ce conte venait si bien.

Ou bien Jeanne m'avait écrit : « J'ai besoin d'argent », alors que j'avais ce même besoin d'argent.

Ou bien, le cœur m'avait tourné en voyant sur les rails du tramway, un foie et, quinze mètres plus loin, la moitié d'un chien dont nulle part, on n'eût trouvé l'autre moitié.

Ou bien, pressé d'écrire, j'avais oublié le pétrole de ma lampe ; ou fêlé son verre ; ou tordu la monture de mes lunettes.

Ou bien Claire avait « grondé le pilote ».

Ou bien tel journal avait paru et mon article qui « devait passer » n'avait pas passé.

Ou bien on l'avait massacré.

Ou relégué en dernière page.

Ou bien cet ami dont une bonne lettre eût effacé mes chagrins, aujourd'hui encore je ne recevrais pas sa lettre.

Ou bien, j'avais refusé l'aumône à un ivrogne et peut-être, après tout, n'était-il pas un ivrogne, mais un brave homme.

Ou bien parlant de mes livres, un critique avait écrit : « Voilà un beau passage » et justement je détestais ce passage.

Ou bien, c'était le contraire.

Ou bien Claire avait pleuré et nom de nom de nom ! qu'aurais-je pu faire afin de la rendre heureuse ?

Ou bien mon porte-plume m'avait nargué, à cache-cache derrièrre un pied d'armoire, juste au moment où je voulais noter une idée qui en eût amené beaucoup d'autres.

Ou bien une lettre plus sévère, nous était arrivée de l'école de Michette.

Ou bien mon voisin qui aurait pu se gratter ne s'était pas gratté puisqu'il restait absent, ce qui était pire car à chaque instant de la nuit il aurait pu rentrer et commencer à se gratter.

Ou bien le propriétaire était resté chez lui, non seulement avec sa femme, ses enfants, mais avec des amis, leurs femmes, leurs grosses voix, le bruit de leurs chaussures, le...

Je m'amuse ? Peut-être. Mais voici.

Vers ce temps, j'eus à rendre une visite à un homme de lettres. Un vrai, très calé. Il avait sa chambre pour lui seul, son porte-plume, sa table. Au-dessus de cette table, pendait au bout d'une corde, un de ces ballons à boxe qu'on nomme des punching-ball. Je ne sais guère ce qu'il me dit. Je regardais sa balle. Je me le figurais finissant une phrase, lançant quelques bons coups et, détendu, passant à la suivante. Je pensais :

– Des gens ont de la chance. Tant de force

les gonfle, qu'ils la doivent dépenser sur un punching-ball... Toi tu n'es qu'un punching-ball.

Et voilà comment de coup en coup, la balle a roulé de Bourg-la-Reine jusqu'ici. Vous pensez qu'il y a autre chose ? Non... C'est bien tout.

Quatrième Confession

I

En revenir à Michette ? Pourquoi ? Vous pensez à mes confessions où croyant avoir dit tout je n'avais pas dit tout. Je ne suis plus ainsi. Je ne vous ai rien caché.

Vous le savez : à cause de Dah, Michette tourmentait sa mère. Je la détestais parfois. Pourtant, je me disais :

– Elle souffre cette petite. Aide-la.

Je me demandais comment la libérer de sa Dah. Elle m'appelait Jean, mais je l'aimais en Grand Frère. Si elle avait été ma fille, j'en aurais été fier, j'aurais eu l'autorité pour l'aider mieux. Tout dépendait maintenant de la mère et cette mère était trop bonne. J'ai connu des enfants plus simples, moins égoïstes, plus malléables, plus lourds aussi et futiles. L'influence de Dah lui faussait les pensées, mais elles naissaient d'un cerveau qui remuait autre chose que des mesquineries de petites filles. Comme la mère, j'admirais ces qualités ; pourquoi fallait-il qu'elles s'étiolent en des rêves de Carmélite ou de vie rustique ? Sa morne contemplation de Dah ne la mènerait jamais à rien et rendait inutiles les sacrifices de sa mère. Je m'en suis beaucoup chagriné.

Elle me parlait avec confiance. Ce qu'elle cachait à sa mère, elle le racontait à moi... C'est tout.

Pourquoi voulez-vous qu'il y eut autre chose ? Qui vous l'a dit ?

À Bourg-la-Reine ? Certes, elle y venait. Elle aimait cette petite ville : j'ai su plus tard pourquoi. Comme je travaillais peu, ces visites me distrayaient. Elles me faisaient plaisir. L'ours Martin se radoucissait :

– Prends une chaise. Non, la bonne... Une cigarette ?... Je vais te faire un petit café.

À la maison, pour cette cigarette, ce café, Martin eût grogné. Je n'étais pas logique de les permettre ici. Cela je l'avoue. Elle avait d'ailleurs une vilaine façon de fumer. Piquée par le tabac, elle fermait un œil, tandis que son nez, à la narine, se fronçait. Cette grimace m'agaçait. Elle me rappelait un autre nez.

Après ? Nous sortions : un tour dans la ville, une visite à l'église, un arrêt au cimetière devant la tombe d'un écrivain. Un buis poussait sous la croix. Elle cueillait quelques feuilles, les glissait dans son sac. Des enfantillages, quoi ?

Que voulez-vous que je vous dise ? Rentrés, nous causions. C'est elle qui choisissait les thèmes. Fallait-il croire en Dieu ? M'arrivait-il, comme à elle, de sentir la foi et, brusquement, des doutes ? Avais-je des extases ? Les Carmélites lisaient-elles ce qu'il leur plaisait, dans leur cellule ? À quoi rimait la vie, sans survie ? Sincèrement, oserais-je affirmer que Baudelaire se trouvât en bonne place au Paradis ? Ne pouvait-on s'aimer à distance ? Chateaubriand était-il coupable d'avoir aimé sa sœur ? Que penser de Nietzsche ? De l'amour platonique ? Questions, sous-questions, digressions, qui me fatiguaient. Je me tendais l'esprit pour répondre de mon mieux. Au bout, je nouai la morale !

– Tu dois tout à ta mère. Aime-la; pour lui plaire, applique-toi aux études que tu as choisies.

Ensuite? Ce n'est pas de ma faute si elle en venait à Dah. Oh ! pas à ce qu'elle eût appelé : « Le secret des secrets », son amour. Elle tournait autour. « Dah était belle. Elles s'étaient promenées ensemble... Elles... » Je pensais : « Ce que tu m'agaces avec ta Dah », et la laissais aller. Il était trop tard pour attaquer de front. J'attaquais en douceur. Le latin de Dah ? Fort bien. Seulement elle ne connaissait pas tout le latin. Ses phrases : des trouvailles de dictionnaire. Le vrai savoir est plus simple. L'aigle ne prend pas de mouches ? Mais la mouche prend-elle des aigles? Les Dragons? Sublimes : pourtant, une humble image trouvée dans son cœur valait mieux.

Elle me parlait des œuvres de Dah. Je les discutais.

– De beaux sujets, mais d'emprunt. Si elle connaissait la vie, elle la mépriserait moins. Elle fait fi de la nature ? Regarde ce bras : on dirait un pied de table. Cette expression sort d'un théâtre ou d'un livre.

Elle en arrivait à ses idées personnelles. À l'exemple de Dah, elle aurait voulu vivre « au dessus des contingences, sur la montagne ». Elle aurait eu de la peine à définir ces mots. Mais ils sonnaient bien. Je lui avais rédigé un petit cahier de réponses. Tenez : il est ici.

AU PIED DE LA MONTAGNE

Pensées pour Michette

Les unes pour maintenant
Les autres pour plus tard.

Lisez: «La montagne ne dresserait si haut sa cime si elle n'avait le pied bien d'aplomb sur la terre.»

Elle voulait être libre, ne rien devoir à personne.

Je répondais:

– N'avoir besoin de personne? Et le pain que tu manges? Le livre que tu lis? La sonate qui te fait rêver, si personne ne te la jouait?

Je disais:

– Ce que tu possèdes, tu l'as reçu. Tu recevras encore. Plus tard, tu le comprendras, tu auras encore besoin des autres... pour donner.

Vous le voyez: des leçons simples. Je cherchais à lui donner ce qu'elle ne possédait pas. De la montagne, si elle n'avait regardé que le pied, je lui aurais montré la cime.

La conclusion restait la même:

– D'abord ta maman.

Pendant ce temps, les autos grondaient, le propriétaire dans son jardin me gênait, Claire souffrait, tantôt les chats m'ennuieraient. Quand Michette s'en allait, j'avais la tête en feu. Et, au fond, à quoi bon? On ne convainc personne. Son amour pour Dah restait entier, sans profit pour la mère.

Comment? Ces confidences, cette intimité vous voyez poindre... Erreur. Une enfant, voyons! moi, quarante-sept ans, mon «megnon». Mes tracas suffisaient, je n'allais pas les compliquer davantage. D'ailleurs, j'aime Claire. L'égoïste Michette m'était souvent odieuse.

Évidemment, il y a la pensée. Le cerveau d'un homme inactif a ses portes grand ouvertes : les chats y entrent et forniquent. Je ne demandais qu'à travailler, moi. Pourquoi me volait-on ma paix ?

Ainsi un jour... Oh ! cela ne dura pas : une pensée-éclair dans le genre de ces regards dont je n'étais pas coupable parmi mes camarades autrefois. Nous causions. Elle prit une cigarette, leva la main pour l'allumer. Son bras était voilé. J'oubliai sa grimace. Que verrais-je si, au lieu d'être voilé, ce bras était nu ? Le temps de me dire : « Ce n'est pas ton affaire », nous poursuivions notre entretien. Et cela n'alla pas plus loin. La preuve ? Le lendemain, je me rendis chez Claire. Michette avait négligé un devoir. Je dus la gronder. Je me dis :

– Tu la grondes. Et tu ne penses pas à son bras. C'est bien.

Aux rencontres suivantes, je ne pensai même pas que je ne pensais à rien.

Un soir, elle se courba pour ramasser quelque chose. Sa robe se tendit un peu. Je ne pensai pas au bras. Je pensai au corps tout entier. Que verrais-je si...

Je me raccrochai :

– Tu es stupide ! Tu le connais ce corps. Que de fois, sa mère l'a baigné devant toi. Qu'est-ce que cela te faisait ?

Je revis en effet ce corps : une espèce de grenouille dans de l'eau savonneuse. Cela me dégoûtait.

J'essayai d'être dégoûté comme alors. Oui, mais ce corps avait changé. On ne le baignait plus devant la mère. Pourquoi ? Comment ces bras ?... Et ailleurs ?...

– Qu'as-tu ? fit Michette. Tu es distrait.

– Moi... je... Non, rien... Nous disions ?

– Tu tombes de la lune !

Elle eut son rire de petite fille. J'aurais pleuré.

Le soir, je la mis dans son tramway, je me couchai : l'idée revint. Le voisin se grattait : l'idée mordait. Je ne dormis pas : l'idée veillait. Le matin, je me levai : l'idée suivit. Le lendemain, elle y était. Les autres jours, elle y était.

Je me grondais :

– Mais enfin ! Qu'est-ce que cela peut te faire ! Tu l'as élevée : c'est la fille de Claire.

Bien sûr, la fille de Claire ! Mais que verrais-je si ?... Je rencontrais Michette, ou je ne la rencontrais pas : que verrais-je si ?... Je fermais les yeux, ou ne les fermais pas : que verrais-je si ?... Un jour une rage me prit. Je me jetai sur elle. J'aurais voulu la frapper, l'embrasser et la mordre. Pourquoi ?

– Martin devient brutal, dit Claire.

– Oh ! non.

Comme j'ai eu tort de ne pas tout lui dire !

Il vint d'autres jours... Une eau savonneuse, un corps de grenouille, que verrais-je si... ? J'avais mal, j'avais honte, j'aurais tout fait pour arracher cette glu.

Un soir je crus trouver. Je passais dans la rue : une fillette trottinait. Je me dis :

– Tu vieillis. Le fruit vert te tente. En voilà un. Ils se ressemblent tous.

Je la suivis, j'en suivis d'autres. Que verrais-je si... ? Mais elles n'étaient pas Michette. Et tromper Claire ?

Que verrais-je si... ? Que verrais-je si... ? Cela dura des semaines. Puis un jour ce fut tout. Claire avait trouvé un cinéma en province : du samedi au lundi : deux jours de gros travail ; le restant de la semaine libre. J'eus à peser les conséquences. Ce changement valait-il mieux ou pas ? Et puis, pendant ces deux nuits, Michette ne pouvait rester seule.

– Voilà, Claire, en ton absence, je ne logerai pas à Bourg-la-Reine. Je lui tiendrai compagnie.

Sa mère partie, Michette consacrait ses soirées à sa correspondance à Dah. Heures sacrées ! Sacrées heures ! Elle s'y préparait par de menus rites : cigarettes coup sur coup, café trop fort, encens qu'à défaut de brûle-parfum elle allumait dans un cendrier. Pendant ce temps ses études restaient en plant, son nez m'énervait, l'encens m'écœurait. Protester ? Puisque la mère ne le défendait pas... Je m'enfermais avec un livre. Je rageais...

Un soir, par diversion, je l'emmenai dans un café. Je déteste les cafés. Nous étions à la terrasse. J'avais ouvert un journal, Michette croquait des têtes. Un ami survint. Il ne la connaissait pas. Il lui donna un regard :

– Félicitations, mon cher. Elle est...

Elle était quoi ? Je répondis vertement :

– Eh ! c'est ma fille !

Et plantai là ce bonhomme. Croire que !... Au fond à qui avais-je répondu ?... Dans la rue, je serrai avec joie le bras de cette fillette, déjà femme, dont on pouvait croire que... Chez nous, je lui dis : « Bonsoir... » puis de nouveau « Bonsoir... » avec des baisers qui n'en finissaient plus.

J'ignore ce qui se passa. Une volonté qui n'était certes pas la mienne, pénétra en moi, tua l'autre et, maîtresse de la maison, agit à sa guise.

Michette rentra dans sa chambre. Je ne sais si, en ce moment, un homme moral eût pensé à Claire, ou se fût dit des choses comme on s'en dit au théâtre. Je ne pensai à rien, je ne me dis rien. Entre nous la cloison était aussi mince qu'entre le type et moi à Bourg-la-Reine. Michette trottina, me cria : « Bonsoir », se coucha. Je n'étais pas dans mon lit : déjà, en pensée, je savais qu'une nuit je me glisserais dans le sien. Je ne l'aimais pas. Je ne la désirais pas. Alors quoi ?

Après oui, je pensais à Claire. Je me dis des phrases comme au théâtre. L'autre volonté donnait la réplique. Une vilaine nuit, monsieur !

Le lendemain, je n'avais pas eu cette vilaine idée. J'ignorais le nom de ce personnage. Je ne l'avais pas rencontré. Un seul point restait clair : pauvre Michette, son amour pour Dah la torturait : je devais l'en sauver, extirper cette Dah, me loger à sa place, en me faisant aimer – pour quelque temps du moins – après quoi jouant du « megnon » j'arrêterais l'intrigue ; et la mère contente, l'enfant apaisée, la vie redeviendrait simple, si heureusement simple !

Avais-je une arrière-pensée ? Je n'exposai pas ce plan à Claire.

Pendant quelques jours je fus calme. Les automobiles me dérangèrent moins. J'écrivis de bonnes pages. J'en oubliais mon plan.

Puis de nouveaux tracas...

II

C'est un malheur, monsieur, que les Anglais n'aient pas gardé pour eux leur fameuse semaine anglaise. Ce samedi, libre à midi, mon propriétaire, avala son déjeuner, sauta dans ses sabots et, jusqu'au soir, sifflota le même air, en enfouissant du fumier juste en face de ma fenêtre. Quand j'arrivai à Paris, pour tenir compagnie à Michette, j'étais exaspéré.

– Ah ! Jean, je suis contente.

– B'soir.

Je me mis dans un coin.

Comme d'habitude, elle prépara son café, alluma ses cigarettes, fit puer son encens. Le café était trop fort ; son nez bougeait ; je rageais :

– C'est stupide, ces manies romantiques. Elle se détraque. Si Claire manque de volonté, un de ces jours, j'interviendrais, moi !

– Ne crois-tu pas, fit Michette, qu'on a de la joie à garder pour soi certains sentiments. À rester secrets, ils deviennent plus forts.

– Toi, pensai-je, tu rumines ta lettre.

– Garder pour soi est égoïste, Michette. Pourtant tu as raison.

– ... des sentiments si délicats, que des mots déjà les froisseraient.

– Alors, pourquoi, pensais-je, les écris-tu à Dah !

– Certes, dis-je. L'inexprimé.

– C'est cela, fit Michette. L'inexprimé.

Je n'avais rien à voir avec l'inexprimé. La conversation en resta là. Dans le cendrier, l'encens prenait mal. Elle gonfla les joues pour souffler. Une petite veine bleuissait sur sa tempe. J'en eus pitié. Pauvre enfant, comme elle se donnait du mal :

– Il te faudrait de la braise, Michette. Ou un brûle-parfum... Ce que tu dis, est très juste. Tu verras plus tard...

– Oh ! dit Michette, je n'ai pas besoin de plus tard. Je sais qu'en amour...

En amour, en amour ? Avais-je parlé de l'amour ? Pourquoi pensait-elle à l'amour ? Enfin, puisqu'elle en parlait :

– À propos de l'inexprimé, tu connais le sonnet d'Arvers.

– Oui, dit Michette. Je le connais.

Au fond de moi, quelque chose visait-il plus loin ? Je méditai sur ce sonnet. Je parlai de l'île Saint Louis, la fameuse île où j'avais erré après le fameux pont.

– Tu sais qu'Arvers y a sa plaque.

– Ah ? Nous irons la voir ?

– Si tu veux.

Décidément non ! Son encens puait trop. Je ne me sentais aucune envie de pousser plus avant une conversation qui me fatiguait : « Attends, ma petite, je vais te pousser une colle. »

– Tu prétends tout connaître, Michette. Dis-moi, connais-tu le nom de l'auteur du sonnet d'Arvers ?

– Ne plaisante pas, dit Michette. Je suis sérieuse.

Sérieuse, ah! oui; on l'est quand on rumine sa lettre à Dah. Je me reprochais.

– Tu as eu tort de citer cet Arvers. Orphée, Pétrarque, le page, tu lui fournis un nouveau personnage. Sa lettre en sera pleine.

Je parlai au hasard:

– Après tout, ce sonnet, c'est de la littérature.

– Ah?

– Dans la vie, un sentiment trop fort, éclate.

– Tu crois.

– Bien sûr...

Elle se pencha vers l'encens. De nouveau, sa veine bleuit:

– Ainsi moi...

En ce moment, je recomposais traits pour traits le visage du médecin qui m'avait conseillé ses petits poissons «comme moi». Son «comme moi» m'avait agacé et voilà que je parlais comme lui. Je n'en fus pas fier.

– Toi? s'étonnait Michette, tu as dit tout à maman.

Elle me regarda: elle avait des questions plein les yeux.

– Bien sûr, j'aime maman. Toi aussi, tu dois aimer maman. Mais à côté de cela...

À côté de cela, je me rappelai mon plan: sauver Michette, me loger dans son cœur, et que verrais-je si...? Le Martin de l'autre jour qui avait tué ma volonté parla pour moi:

– Écoute, Michette, je ne sais comment il est venu: c'est un sentiment très pur. Depuis longtemps, longtemps, je pense à quelqu'un.

– Tu penses à qui ?
– À...

Je ne mentais pas : à cette minute, depuis des années, j'aimais Michette. Sans le savoir Martin se trouva à genoux. Il l'entoura de ses bras.

– Autrement que par des mots, on peut, Michette, faire comprendre l'inexprimé.

Martin était toujours à genoux, une Michette dans ses bras. J'eus à m'occuper de toutes espèces de choses : maudire Dah qu'il me fallait supplanter, déplacer un pied qui me faisait mal par terre, ne pas être ridicule, cacher mon « megnon », chasser l'idée de Claire, donner un baiser en signe d'inexprimé, constater que sous ce baiser le cou était tiède, me rappeler qu'à la même place, après des années, le cou de Claire aussi avait été tiède, songer à ma bévue entre Claire et Jeanne, mesurer la nouvelle que je préparais entre Claire et Michette, avoir peur, me dire zut, attendre une réponse, un oui, un non, formels, afin que, Michette sauvée, Claire contente, j'eusse, au bout de tout, la paix... la paix... la paix !

– Je ne pouvais me douter, murmurait Michette... Que l'inexprimé, entre nous, reste l'inexprimé.

Que signifiaient ces mots ? Je désirais un oui, un non. Elle ne disait ni oui, ni non. Je compris oui.

Nous gaspillâmes beaucoup d'encens cette nuit-là. Michette se coucha tard, elle n'écrivit pas sa lettre.

Ce fut ma première victoire.

III

Cette scène s'est-elle passée autre part que dans ma tête ? Je me le demande. Le matin, il ne fut question de rien. Michette se leva difficilement. Je dus la harceler pour qu'elle ne manquât pas ses cours.

– Dépêche-toi. Travaille bien.

– Bien sûr : je travaillerai bien.

Elle partit fringante. L'heure venue, je me rendis à la gare au devant de Claire. Je lui annonçai :

– Tu sais ! Elle ne lui a pas écrit.

– Comment cela ?

– Nous avons causé. Je la débarrasserai de sa Dah. Tu verras...

Entre Michette et moi, il n'y eut pas de nouvelles paroles. Je la voyais chez Claire, elle venait chez moi. Je l'observais. Quand elle me quittait, avant l'inexprimé, elle ne m'embrassait pas si fort. Si Ami-Chat sautait sur mes genoux, son regard devenait jaloux, elle le chassait :

– Il prend ma place.

Une fois, devant sa mère, elle parla longtemps de l'encens que l'on brûle, en causant jusqu'à trois heures du matin. Pensait-elle au brûle-parfum ? Son inexprimé s'exprimait-il comme il pouvait ? Je me disais oui, je disais non. Avec les autos et le reste, je m'étais, tout simplement, fourré de nouveaux tracas dans la tête.

Il arriva un autre samedi. Je revins à l'inexprimé. Elle était assise, les mains aux genoux, à son doigt la bague de Dah.

– Bien sûr, je t'aime... Tu es mon frère.

– Mais autrement ?

Sa tête s'inclina pour regarder la bague, alla de gauche à droite pour... C'était non. Que n'avait-elle dit ce non la première fois ?

Pas d'encens ce soir-là.

Non !... Non !... Non !...

À vous raconter mes petites histoires, je ne vous ai pas dit comment pour un « non » je me suis acharné pendant deux années, jusqu'au oui de Claire. Un non qui cadenasse une porte, m'y briserais-je la tête, il faut qu'il saute. J'ai pleuré, vraiment pleuré, pour devenir moine, parce que le Père Abbé d'un couvent m'avait dit :

– Pas possible, mon enfant. Vous avez une femme.

J'en pleure souvent encore. J'ai voulu devenir un Saint, car je ne reste pas un jour sans pécher. Votre horrible Congo m'a semblé le Paradis, et j'ai traîné de bureau en bureau, parce que, dans le premier, on m'avait répondu :

– Vous êtes trop faible.

Alors ce non de Michette ! Je ne pensais plus à mon plan. Comme après mon fameux pont d'autrefois, je m'égarais dans mon île. Je voulais, je voulais, je voulais quoi ? Un simple « oui ». Rien au-delà. Je me forgeais des raisons pour le vouloir. Mon âge ; je me croyais vidé. Le « banquet de la vie » comme on dit. Il est dur de céder sa place, quand il reste tant de joie pour les autres. Emporter ce oui ne serait-ce pas emporter la dernière, la plus belle de ces joies. Comme j'avais travaillé après le oui de Claire, je travaillerais après le oui de Michette. Je le disais. Je la suppliais :

– Dis oui. Rien que oui. Rien qu'une fois.

Elle regardait sa bague. Sa tête allait de gauche à droite. Je ne sais pourquoi en ce temps elle multiplia ses visites. Nous causions : comme toujours, elle choisissait le thème, mais je ne le suivais plus. Dieu, Dah, ses études, mes réponses tournaient vers l'amour et dans cet amour, vers ce que j'en voulais : un simple mot pour moi – son oui.

– Il ne s'agit pas de toi, disait Michette. Je parle en général.

Il lui était simple de « parler en général ». Je l'admirais, moi qui pataugeais dans mon idée concrète toujours la même.

Et puis elle était jeune. Certains jours, elle flambait d'enthousiasme. Elle s'exprimait avec des mots qui viennent tout seuls quand on est jeune et que je ne trouverais plus jamais, moi presqu'un vieux, avec mon « megnon » et mes lunettes.

– Tu veux la guider. Écoute cette phrase. Vois cette idée en bourgeon.

Précisément ! Ces bourgeons, j'en aurais rajeuni mes feuilles mortes. Encore plus je voulais ce oui.

Du moins, si j'avais pu occuper une place dans son cerveau. Elle admirait les œuvres de Dah : moi aussi j'avais produit des œuvres ! Elles étaient trop mûres pour elle. Je n'en pouvais montrer que des passages. Qu'est-ce qu'un passage ? Je me rabattais sur mes poèmes de jeunesse. Comme elle, j'y chantais « le pur idéal ». Je le savais : un jour elle avait surpris une amie, sur un divan, les yeux drôles, tandis que son fiancé s'éloignait les joues en feu. Fi ! était-il nécessaire de devenir cette jeune fille aux yeux drôles ?

– Non, Michette.

Moi non plus, je n'aurais voulu jouer le rôle de cet homme aux joues en feu.

– Rends-toi compte. Lis ce poème.

Je la regardais lire, comme autrefois, j'avais regardé Claire.

– À la bonne heure ! Je t'aime ainsi.

Voulais-je davantage ? Un jour, elle descendait d'un tramway, je lui tendis la main et touchai, sans le vouloir, sa poitrine : c'était mou. Cela me dégoûta. Un soir, elle dit : « Je crois qu'en amour l'homme doit montrer sa force. » Elle parlait sans doute en général, je songeai à *ma* force, je me figurai son cri qui serait pareil à celui de mon armoire à glace. Cela, aussi, me dégoûta. Une autre fois, elle dit : « Il me semble quand *cela* arrive, ce doit être comme dans un rêve, sans qu'on le sache... » Attendais-je que « cela » arrive ? Au fond de moi, je le savais avec certitude : si « cela » s'offrait, je ne le prendrais pas. Mais je voulais que « cela » s'offrît. En même temps, je m'irritais des idées fausses qu'elle se faisait de l'amour. L'amour platonique, une âme, une âme fort bien ! Sacrédié, nous avons un corps aussi. Je n'insistais pas. Par amour de la vérité, j'aurais voulu qu'elle la comprît.

Cela m'obséda des semaines. Ce que je voyais, ce que j'entendais, ce que l'on me disait, avait toujours quelque rapport avec Michette. Impossible de l'oublier. D'ailleurs ses incartades à l'école me forçaient à penser à elle davantage : « Michette a fait ceci... Michette a fait cela », avec ses plaintes, Claire me l'enfonçait plus avant dans la tête. J'avais honte ; je me grondais, comme on se gronde :

– Vieux matou. Laisse cette chatte tranquille. Laisse-la pour d'autres.

Pour d'autres ! Quelque chose de féroce me venait dans les doigts. Ils auraient étranglé celui qui eût prétendu devenir cet autre.

De nouveaux jours passèrent. Les automobiles, les chats, Jeanne, Claire, mes soucis, par-dessus tout Michette : je ne voyais plus en moi. Je ne sais même pas si je voulais son « oui ». J'aurais voulu ouvrir son cerveau, savoir ce qui se passait dans ce cerveau. D'ailleurs avait-elle dit non ? Je fermais les yeux. Je tâchais de me rappeler le geste de sa tête quand elle l'avait tournée de gauche à droite. L'avait-elle tournée ? Remuer la tête de gauche à droite, c'est un mouvement : pas une réponse. C'était moi qui avais interprété non, parce qu'elle regardait la bague de Dah. L'avait-elle regardée ? Rien de moins sûr. Dans ses paroles aussi, elle manquait de logique. Je les analysais. Jamais un mot qui m'eût fixé une fois pour toutes. Maintenant encore, je m'y perds. Si elle pensait non – vraiment non – mes supplications auraient dû lui déplaire. Par lassitude, quelquefois je les arrêtais : elle y revenait la première. Elle se montrait toujours jalouse d'Ami-Chat. D'une heure à l'autre, elle se contredisait : « Je n'aime que Dah ! » L'instant d'après, elle s'arrêtait devant un portrait de Beethoven : « Voilà celui que j'aime. » Elle passait à un autre : « Voilà, celui... » Peut-être un jour s'arrêterait-elle devant moi.

Je me disais :

– Tu as tort d'attacher de l'importance à ces enfantillages.

Elle n'était pas si enfant que cela. Elle sortait quelquefois des naïvetés de petite fille et aussitôt de vraies pensées de femme. Quand parlait l'enfant ? quand la femme ? Je m'y perdais. À force de tourner, de plus en plus, je me fourvoyais dans mon île. Quand je revenais à mon point de départ, je ne le reconnaissais plus :

– Qu'elle dise oui ; qu'elle dise non. Après, ce sera tout.

Elle disait non, ce n'était pas tout.

– Est-ce parce que je suis vieux ?

– Tu n'es pas vieux.

– Tu refuses à cause de maman.

– Je ne serais pas jalouse.

Son non, à la longue, devenait « peut-être oui ». Un jour, à bout de force, je lui dis :

– Je ne t'aimerai plus.

Elle en parut triste :

– Ton amour est donc si faible ?

Pourquoi ce reproche ? Si elle ne m'aimait pas, pourquoi voulait-elle que je l'aime ? Elle n'était pas coquette. Calculait-elle que je serais plus sévère pour ses cigarettes ? Ou si, obstinée comme on l'est à cet âge, elle s'enfermait dans un sentiment qu'elle voulait vraiment inexprimé ?

Je vous parle de mes pensées du jour. Que dire de mes pensées de nuit ? Comme il est écrit dans je ne sais quel livre saint : « Délivrez-nous, Seigneur de la bête effrayante qui rôde pendant la nuit. » Elle rôdait. Le bougre à côté se grattait ou ne se grattait pas. Qu'entendrais-je si au lieu de cet homme, Michette, après un oui, vivait dans cette chambre ? On percerait une porte. Elle était percée, cette porte. Toutes espèces d'idées allaient et venaient par cette porte : de belles, comme quand au côté d'un Martin inspiré, travaille une Michette qui inspire ; de saugrenues, avec le long nez de Michette et, en plus petit, sur un corps de grenouille, ce que j'aimais en plus grand, sur le corps de Claire ; de violentes comme si une Michette, sous ma force, poussait un cri d'armoire à glace qu'on ouvre ; d'autres... d'autres... Puis des pensées pour Claire : Claire qui me confiait son enfant, Claire au travail tandis que moi... Claire déjà si morte, encore plus morte si elle apprenait... Claire et ses yeux en larmes. « N'y pensons plus... n'y pensons plus... Quand même Claire... »

Je ne sais comment cela se fit. Un jour Michette arriva et Martin, qui ne faisait rien, n'eut pas le temps de s'occuper de Michette. Un samedi, Martin vint lui tenir compagnie et si Michette bouda, tant pis ! Martin n'eût pas un mot à dire à Michette. Un autre jour : n, i : fini.

Je n'en fus même pas triste.

IV

Seulement, cela recommença. Michette, ce jour-là, m'avait proposé une promenade dans Bourg-la-Reine.

– Soit, si cela t'amuse.

Moi, cela ne m'amusait pas. Une vilaine route. Dans ma tête, ce que l'on porte quand l'esprit se tend à garer le corps des horreurs trépidantes qui le frôlent sur cette route. Il avait plu. La chaussée poissait. Comme si sa boue ne suffisait pas, des puisatiers en rajoutaient de l'autre du fond de la terre, hors de grands seaux. Pouah !

– Tu vois, dit Michette, cette maison ?

Elle n'avait rien de rare, cette maison. La boue des autos avait giclé sur sa façade. Pouah !

– Dah a demeuré là.

– Ah !

La seconde avant ce mot, j'étais en paix. C'est dans l'épine dorsale que ces chocs vous font mal ; ensuite, ils remontent dans la tête et restent là comme un poids. Il est possible que je devins pâle ou bien rouge. La maison eut ses fenêtres de travers, ses murs disloqués comme si la terre avait tremblé. Je ne sais ce que je répondis. J'avais mal, je suivais quelqu'un qui marchait. Cette horrible Dah ! Comment avais-je été si bête ? Vouloir la combattre et l'avoir oubliée. Elle avait vécu dans cette maison. Voilà pourquoi Michette me menait devant cette maison. Elle avait prié dans cette église. Voilà pourquoi Michette priait dans cette église. Elle avait connu ce mort du cimetière. Voilà pourquoi Michette... Elle cherchait des souvenirs ; l'église, la tombe, les feuilles du buis, comme l'étoile de minuit, autant de rendez-vous. J'aurais dû les interdire : j'en avais pris ma part.

Nous étions entrés dans le cimetière. Michette s'était mise à genoux. Je ne l'avais jamais regardée prier. Les mains jointes, son long nez en avant, elle fermait des yeux de bigote. Dans ces yeux, moi qui souffrais, je n'existais certainement pas. Je retins avec peine ma main.

– Allons, viens !

Elle ne répondit pas.

– Viens, te dis-je, tu me dégoûtes à jamais de Dieu.

Je la laissai seule cueillir son buis – ce buis que sans doute elle enverrait à Dah ?

Rentrer ? Me coucher ? Je ne me rappelle pas ce qui se passa cette nuit. Quand les Jésuites vous ont bourré de Dieu, un jour on y croit, un autre pas. À un moment, ce Dieu pesa sur moi. Il m'écrasa. Il me prenait Michette. Je luttais. Il était plus fort que moi... Après tout, Ami-Chat avait peut-être invité trop de camarades. Quant à ce Dieu, Michette l'aimait comme l'étoile ou le buis : le Dieu qu'aimait sa Dah ! Dah seule était l'ennemie.

Quand je me levai, mes idées étaient revenues. Que verrais-je si... Sauver Michette ; obtenir son oui ; pénétrer dans son cœur. Seulement la place était prise : il y avait *in sæcula*, le serment ; il y avait Dah, celle qui tourmentait Michette, celle qui m'empêchait de rendre heureuse cette Michette. Comment la chasser ?

J'y pensais le jour, j'y pensais la nuit. Les autos grondaient, Ami-Chat m'écrasait, le cordonnier avec son marteau multipliait son bruit de semelle, et puis Dah ! Son Wagner, son Platon, elle se campait contre moi, de toute sa hauteur de chipie prétentieuse. Facile de paraître grande quand on se hisse sur les épaules d'autrui. Pour Michette, jamais je ne l'égalerais. Je ne portais pas de collier, moi ! Je n'avais pas une tête à jouer les Eurydices. Ma vérité ne chevauchait pas les dragons de l'Apocalypse ; les pieds à terre, elle marchait sans pompe. Michette ne comprendrait jamais qu'avoir les pieds à terre n'empêchait pas de porter haut la tête. Quand je lui parlais, il lui venait quelquefois un vilain pli au coin des lèvres. Je le connaissais ce pli. Claire aussi l'avait quand elle comparait mes humbles bonshommes aux Napoléon, aux César de son peintre. Allais-je, avec la fille, retrouver les peines que j'avais eues avec la mère ? J'en souffrais tout autant. Il m'en venait des rages. Je les cachais. Alors elles me remontaient dans la tête.

Je ne crois pas qu'un seul instant j'aie été injuste pour Dah. Michette, un jour, me montra son portrait. Je m'attendais à une horreur. Elle avait des yeux, oui, comme la petite Yvonne quand elle prépare une crise. Son nez valait celui du père. À part cela, elle n'était pas laide. Michette lui ressemblait un peu. J'en convins :

– N'est-ce pas, se réjouit Michette.

Mauvaise façon de combattre son amour. J'aurais dû me taire.

Elle me lut des bouts de lettres. Ses grands mots, certes, agaçaient ; son attitude aussi. J'y détestais l'orgueil du père. Tout de même, là-dessous, il y avait de l'idée. Des idées comme celles de Michette. Des idées quelquefois comme les miennes. Moins dangereuse pour l'enfant, elle eût été une femme intéressante. Sans le vouloir, en pensant à Michette, je pensais à cette femme intéressante. Je voulais savoir.

– Son défaut, disait Michette : elle est dure. Pas de cœur. Un rocher.

C'est un malheur de n'avoir pas de cœur. Je la plaignais. Peut-être, ne l'avait-on pas éveillé. Certain rocher aussi était dur, il suffit pourtant d'une baguette : la baguette de Moïse...

– Et puis, elle ne se livre pas. Quand des étrangers viennent, elle se tait ; elle écoute.

Ne pas se livrer, c'est peut-être de l'orgueil. Pas forcément. La réserve a sa valeur.

– Je suis sûre, que si elle te connaissait, vous deviendriez de bons amis.

Une femme qui ne se livre pas : je pensais à cette bonne amitié. J'y pensais la nuit. Je la mêlais à mes rêves. Vous savez ? de ces rêves que l'on fait sans dormir, et où tout s'arrange, parce qu'on en est le maître.

J'aime beaucoup ces revanches. J'en ai prises. Celle-ci, par exemple.

Sur un divan, dans son atelier, la fière Dah reposait. Elle avait une de ces attitudes que, dans la vie, j'eusse détestée, mais en rêve, elle faisait bien.

Michette se précipitait joyeuse :

– Ah ! Dah ! Après tant de mois... Embrasse-moi.

Dah ne l'embrassait pas. À peine si elle répondait du coin des lèvres. J'entendais les intonations :

– Bon... jour... Tu peux t'asseoir.

Penaude, Michette regardait. Ah ! mon Dieu ! ce qu'elle voyait ! Sur un chevalet, un aigle, comme en peignait Dah, mais si vrai qu'il semblait s'envoler hors de son cadre. Sur un deuxième chevalet, encore un aigle ! Ailleurs, en Parsifal, en Lohengrin, en Tristan, un personnage, toujours le même :

– Mais c'est Jean !

– Oui, disait gravement Dah. Jean !

En ce moment paraissait ce Jean. La figure de Martin, le megnon de Martin, il possédait quelque chose en plus que cette sotte de Michette ignorait et qu'avait su discerner une Dah, pour en créer une œuvre.

Cette petite Michette, Jean-Tristan ne la regardait pas. Il s'avançait vers Dah, lui prenait la main, la portait à ses lèvres et...

Ici, je devenais perplexe. Ce baisemain que signifiait-il ? Trop tendre, il eût peiné Michette, ce que je ne voulais pas. Respectueux, elle n'eût pas été jalouse. Je réservais la suite et de nouveau Jean-Tristan faisait son entrée, oublieux – mais totalement oublieux – de Michette...

À sa première visite, je lui racontai ce rêve. Que Dah peignît des aigles – vraiment aigles – et grâce à mon inspiration :

– C'est fort bien, répondit Michette.

Que je fusse Lohengrin, Parsifal ? Parfait. Quand parut le Jean indifférent, elle sourit. Au baisemain, ses sourcils montèrent. Je la tenais : jalouse ! Oui, mais de qui ? Je laissai la question en suspens... comme le rêve.

J'en fis d'autres. Front méchant, œil baudelairien, Michette contemplait un Jean en moine : le *Moine Maudit*. Ou bien, elle écoutait derrière une tenture, et Jean disait des choses si belles... si belles !

– Quelles choses ? demandait Michette.

Je devais les répéter.

Un peu plus tard, suivant les humeurs de Michette, je précisai ma première version. Michette douce, mon baisemain était respectueux ; moins douce – moins respectueux, peu respectueux. Une nuit, il ne fut plus respectueux du tout. Les nuits suivantes...

Les singulières mécaniques que nous sommes. Avec mes rêves, j'avais déplacé je ne sais quelle manette, cela ne s'arrêta plus. Respectueux, peu respectueux, pas respectueux, les baisemains s'embrouillaient. Toutes les nuits, que je le voulusse ou non, ils recommençaient. Il ne s'agissait même plus de Dah ! Michette, la femme qui n'avait pas de cœur, les aigles, leurs mouches, la baguette symbolique de Moïse, Claire, Jeanne devenaient des roues que je ne pouvais arrêter dans ma tête. Une rotative en folie, monsieur.

Cette fois, j'en fus effrayé. Mon cerveau se détraquait. Seul, un oui de Michette aurait pu me sauver. Je la suppliais :

– Aime-moi... Sauve-moi.

– Je suis trop jeune... Je ne sais pas aimer.

Elle ne savait pas ? Menteuse ! Elle aimait Dah ! Les roues s'affolaient davantage. Un jour, elle me surprit en larmes sur mon lit. Le jour suivant, elle me surprit en larmes sur mon lit ; chaque fois qu'elle vint, elle me surprit en larmes sur mon lit. Mise en scène ? Votre petit Eugène qui a des tics, quand il s'enfonce les doigts dans la gorge, il y met de la complaisance, il s'arrange pour qu'on le voie, cependant il ne pourrait faire autrement. J'y mettais aussi de la complaisance, mais je vous ai parlé de la volonté étrangère qui avait tué la mienne : je n'aurais pu faire autrement.

C'est alors, je crois bien, que j'allai voir l'écrivain-médecin aux lentilles. Des lentilles, monsieur ! Et de petits poissons !

V

Ah ! Monsieur. Je croyais m'arrêter ici. Au point où j'en suis, si je ne vais pas jusqu'au bout, je ne vous aurai rien dit. Tant pis ! Cela me gêne ; j'en ai horreur : il faut que je vous parle du père de Michette. Claire n'aurait pas dû lui faire connaître cet homme. Quel droit avait-il ? Il lui avait donné son nez ? Et après ? En tout cas, elle eût évité bien des malheurs.

Michette l'avait trouvé dans son atelier esquissant un de ces tableaux qui, cette fois, pour de bon, jetterait ses ennemis par terre. Échevelé, l'œil en feu, répandant sur la toile de l'or, de la pourpre, quelle différence avec l'humble Jean, le nez dans ses papiers, la bouche en colère parce qu'il voulait la paix ! Elle avait partagé quelques jours de sa vie. Il lui avait offert une écharpe ! Il l'avait menée au concert ! Puis, de nouveau, parti.

Pauvre Michette ! Son caractère ne la poussait que trop à prendre dans la vie ce qui pouvait alimenter sa tristesse. Ce nom qu'on prononçait avec respect, qu'elle ne portait pas, qui était le nom de Dah ! Ce cher papa, ce génial papa, qui se battait, se battait contre tant d'ennemis. Je le comprends, elle souffrait. Elle aurait voulu vivre toujours avec lui, batailler avec lui. Ajoutée à son amour pour Dah, cette idée aussi la détournait de ses études. Et maman, cette bonne maman, qui oubliait ses peines pour lui donner un papa ? Peuh ! vous connaissez l'histoire : la mère-pélican qui s'ouvre les flancs et les petits, le bec dégoûté : « Encore des tripes ! » Tripes n'est-ce pas ? Les soins quotidiens d'une maman ! Tripes son cinéma ! Tripes son Art arraché du cœur en pâture à sa fille ! Mais les « espère, espérons » de papa ! Les projets de papa ! Les souffrances de papa ! Lamentable Claire ! Dah lui prenait le cœur de sa fille, le père lui prenait le reste. Rien pour elle. Il se passait là quelque chose de douloureux, un drame parmi les autres, plus poignant que les autres, dont je prenais ma part comme des autres !

Quand Michette me parlait de cet homme, une angoisse me pinçait. De la rage aussi. J'avais lu de ses lettres : « Mon génial papa... Divin papa... » Vraiment elle exagérait. Mes réponses n'étaient jamais calmes.

Un jour elle me raconta une petite scène. Un peu fatigué son père s'était mis au lit. Elle s'était assise. Ils avaient causé longuement.

– Il me tenait la main... Nous parlions de tout... Tiens, comme nous, quelquefois.

« Comme nous ! » Deux mots suffirent. Peut-être cette idée pourrissait-elle depuis longtemps au fond de moi. Elle remonta, tout à coup, puante à la surface :

– Cet homme dans un lit a séduit Michette.

Je fis ce que je pus, pour la renvoyer dans son fonds. Comme on jette une grosse pierre, je me dis :

– Tu n'es pas raisonnable.

Et aussitôt, pour cent raisons, ce fut raisonnable. Cet homme dans un lit et, je le savais, il aimait les fillettes. Cet homme dans un lit... quand il avait aimé Claire, Claire aussi était presqu'une fillette. Cet homme dans un lit et si moi, comme lui, je me trouvais dans un lit...

Je jetai d'autres pierres :

– Un père n'abuse pas de sa fille.

Si, des pères abusent de leur fille. Un père, comme lui, encore plus, abuserait de sa fille.

– Mais son âge !

Et précisément, Michette l'avait dit : « Je ne m'inquiète pas des questions d'âge. »

– Pourtant, Michette ne sait rien de l'amour.

Si ! Elle l'avait affirmé : « J'en sais plus que tu ne crois des choses de l'amour... » Elle avait dit davantage : « Je porte un secret : je ne l'avouerai à personne. »

Quel secret, sinon sa chute entre les bras de son père ? Charogne d'idée ! Des jours et des jours, pattes en l'air, ventre enflé, elle flotta à la surface de mes pensées. Je respirais cette puanteur et, pendant ce temps, les autres roues, en tourbillon dans ma tête...

Encore si j'avais été sûr ! Je me serais dit... Qu'est-ce que je me serais dit ? Ce que je croyais le matin, le soir j'en doutais. J'interrogeais Michette :

– Il te tenait la main ?

– Gentiment, il me tenait la main.

– Sans la lâcher ?

– Sans la lâcher.

– Il te parlait de quoi ?
– Comme toi.
– Que disait-il ?
– De belles choses.
– Quelles ?
– Comme toi.

« Comme toi... comme toi... » Je fouillais mes souvenirs. Avec mes curiosités, avec mes désirs, n'avais-je dit que de belles choses ? Si j'en avais dit de vilaines, parlant « comme moi » le père aussi en avait dit de vilaines. Comme moi... comme moi, cet homme, presque fou, n'avait-il pas été plus loin que moi ? Comment savoir ? Jamais je ne me fusse permis une question qui inquiétât Michette. Chacun de ses mots, je les pressurais. Un soir, je crus la tenir. Elle regardait le masque de Beethoven.

– Voilà celui que j'aime.
– Ne mens pas. Tu penses à Dah !
– À Dah aussi.
– Aussi ! À qui encore ? Comment est-il ?
– Comme toi.
– Artiste ?
– Comme toi.
– Vieux ? Jeune ?
– Comme toi... Tout comme toi.

J'eus une minute de bonheur stupide, comme si c'était moi. Je voulus embrasser Michette.

– Eh ! fit-elle, je n'ai pas dit que ce soit toi.

Donc, c'était l'autre.

Je ne sais ce qui se passa. J'étais assis ; j'aurais voulu bouger, je n'aurais pas pu. Son mot dit, Michette alluma une cigarette, sans plus penser à moi. Mes idées tournaient. Je vous le jure, monsieur : je ne suis pas jaloux. Mais cet homme, si loin, a toujours vécu entre nous : dans ses télégrammes, dans ses lettres, dans le nez de Michette, dans mon travail, dans les paroles de Claire, dans ses silences, dans ses pensées, dans certain pli à ses lèvres, et maintenant dans cette main de Michette, dans tout ce qu'après cette main, il m'avait volé de Michette.

Des heures passèrent. Michette ne pensait toujours pas à moi. Impossible de bouger. Je voyais tout : sa cigarette, son nez, une autre cigarette, son café, sa main : son plaisir, ma peine. Au petit jour, elle vint à moi. Elle n'avait plus rien dit. Elle était grave.

– Sans paroles, on peut exprimer beaucoup de choses. Je t'en fais le serment : je n'oublierai jamais cette nuit. Dors, Grand Frère.

– Ah ! oui... Grand Frère...

Rien que cela ! A-t-elle fait ce serment ? Nous n'en avons plus jamais parlé. Mais l'autre, l'autre...

Je dis mes soupçons à Claire :

– Elle ne me l'a pas avoué franchement. Mais je le saurai : si c'est vrai, je le tue.

– Tu es fou !

Je ne savais plus rien. Qu'est-ce que je voulais ? Aimais-je quelqu'un ? Michette ? Dah ? Jaloux de Michette ? Jaloux de Claire ? Fou ! Si je l'avais été, peut-être Michette aurait-elle eu pitié...

Bah ! qu'il n'en soit plus question.

Un soir je l'accompagnai au théâtre. On y jouait une ancienne pièce italienne. À un moment, on flagellait un vieillard qui détenait un secret et refusait de le trahir. La scène avait du style mais c'était de la souffrance. Même fictive, elle m'est insupportable. Pour m'en distraire, je m'intéressai à l'actrice qui tenait le rôle principal. Elle jouait bien. C'était un professeur de Michette :

– Quand tu joueras comme elle, Michette.

– Oh ! oui.

Je voulais lui donner de l'espoir. Ses yeux brillaient.

Quelques jours après une lettre nous vint de son école : on renvoyait Michette. Quel coup pour Claire ! Sa vie, son recueillement, son art, pour cette école elle avait tout planté là...

Encore une roue !... Enfin...

VI

Parlons plutôt d'un dîner. Un fameux dîner, chez des cousins de Claire. Ils avaient insisté :

– Mais si. Vous amènerez M. Martin.

– Viendras-tu ? m'avait demandé Claire.

Hum ! Se raser, se vêtir, prendre le tramway, sauter dans le métro, s'ennuyer chez des gens que l'on ne connaît guère, sans Michette, j'aurais autant aimé rester à Bourg-la-Reine. Je réglai tout d'avance. J'acceptais : seulement, à neuf heures trois quarts, je tirerais ma montre : « Déjà, dix heures ! » et vite au galop, je regagnerais ma chambre. Je m'habillai là. Avez-vous compté les gestes qu'il faut, par exemple pour changer de chemise ? On la choisit, on l'étale comme une chasuble un pan levé ; on plonge de la tête, on vise une manche, on ne rate pas l'autre... Soixante-dix-neuf gestes, monsieur. Et encore ! La tête là-dedans, j'eus en bouche une cigarette : je dus la retirer, souffler les cendres, la déposer, la reprendre, tourner à la recherche d'une sacrée boîte d'allumettes. Ensuite, mes bottines : douze crochets mal ouverts à chacune ; le faux-col et ses boutonnières serrées comme une vierge ; la cravate dont on ramène un bout vers la droite, puis vers la gauche, puis vers le haut, puis vers le bas...

J'arrivai en retard. La rue Clauzel. Qui est-ce Clauzel ? Water-clauzel ! Ne la connaissant pas, je l'avais ratée, comme ma cravate par le mauvais bout. Deux cents pas énervants à refaire. De plus j'étais inquiet. Sans moi, Ami-Chat s'ennuierait. Pour qu'il ne s'égarât pas, je l'avais enfermé. Avais-je assez solidement bouclé la porte ? Ses griffes étaient capables de cambrioler une porte. Il est vrai, j'avais averti le propriétaire : « Ayez l'œil. » Mais avec les propriétaires, sait-on jamais ? En tout cas, à neuf heures trois quarts je tirerais ma montre. Je la tirerais même un peu plus tôt...

Une fois à table, tout se passa fort bien. On m'avait attendu. Le cousin n'était pas un monstre, ni la cousine un phénomène. Très aimables au contraire. Michette, en face de moi, trouva le moyen de déplacer un flacon qui eût coupé nos regards. C'était gentil. Quand je pensais à son école, quelque chose se durcissait dans l'arrière de ma tête. Mais depuis sa mésaventure elle se montrait plus douce. Débarrassée de ses cours, peut-être finirait-elle par m'aimer.

Cela ne pouvait manquer. Quand je dîne quelque part, il y a des tomates. Je déteste ces légumes. Ce rouge enflé, cette peau qui brille, il m'est difficile de les voir sans penser que certains singes ont comme séant des espèces de tomates. Michette, qui le savait, me lança un coup d'œil : « Toi tu vas grogner. » Et pas du tout. Je fus correct ; je piquai d'une fourchette délicate ; je souris :

– Quelles appétissantes tomates !

Personne n'aurait pu dire :

– Voilà un monsieur qui pense à un derrière de singe.

J'étais donc calme. Il n'y eut qu'un point : quand mon verre était vide, le cousin le remplissait. Le verre rempli, je le vidais. Cela n'en finissait pas. Je m'en expliquai à part moi.

– Nous n'en buvons guère. Il est bon, j'en profite.

Je tirai ma montre : neuf heures. Parfait : on servait le fromage. Le cousin entreprit Michette au sujet de l'école. Elle eut aussitôt sa tête des mauvais jours, et Claire ses yeux à larmes. Je fis un signe : « Laissons cela, pour aujourd'hui. »

Je parlai de mes travaux. Mon prochain livre n'était pas en train, l'achever serait facile. Michette m'écoutait avec des yeux qui comprenaient enfin la valeur de mes œuvres. Je racontai ensuite une histoire de neurasthénie que Claire avait eu autrefois. Elle voulait se taire et ne cessait de parler. Un médecin m'avait dit : « Vous êtes son meilleur infirmier. » Je ne sais pourquoi cette histoire me revint si fort ce soir-là. Je sortis de nouveau ma montre : dix heures un quart. Bah ! je n'avais pas fini mon récit.

À un moment, quelqu'un prononça : « la Côte d'Azur » et ce fut au tour de Michette : la montagne, la lavande, les oliviers, Dah ! Je me renfrognai. Je pensai à ma porte, je pensai à l'école. Par malheur on versait des liqueurs.

Au retour, tout se passa également fort bien. Minuit ! Pour cette fois, Ami-Chat se passerait de son maître. J'avais d'ailleurs bouclé ma porte et la propriétaire serait gentille. Les cousins aussi étaient gentils, Claire aussi, Michette : le monde entier était gentil !

Dans le métro, je cédai ma place à une dame qui me parut, ensuite, moins gentille car elle aurait bien pu me dire merci. Je tournai le dos à cette guenon. Un... deux... trois... les petites lampes se suivaient le long du tunnel. Je les comptai. En arriver au soixante-dix-neuf de ma chemise eût été drôle. Une rame inverse me troublait, ou bien les couleurs d'une affiche... Une... deux... ces chiffres me fatiguaient. Mais j'avais triomphé des tomates ; mon livre marchait bien, et Michette...

À la descente, il me parut amusant de jouer l'ivrogne. Trébucher dans un escalier, c'est facile. Au grand air, je poussai quelques cris. J'exagérais mes bêtises.

– Ça y est ! fit Michette. Il est lancé.

Michette également était lancée. Elle avait vidé son verre aussi souvent que moi. Son mot me donna l'idée d'être lancé davantage. Mes cris se nouèrent en chanson. Du volet d'une boutique, une embardée me lança au bord du trottoir. C'était réussi.

– Bravo, Grand Frère.

– Que tu es sot, fit Claire.

– Bien sûr ! Aujourd'hui, tout à la joie. Voilà un café. Entrons.

Je suis rarement à la joie, Claire consentit tout de suite. Attention ! voici Jean Martin, le vainqueur des tomates, le futur auteur d'un chef-d'œuvre !

– Garçon !

Quel stupide café ! Le patron dormait, les garçons dormaient, les chaises dormaient, comme des poules à quatre pattes, sur les tables. Un jour que Jean Martin daignait venir !

– Trois cognacs, Pol !

Est-on stupide quand même !

Ah ! on avait renvoyé Michette de l'école ! À moi, ce cognac ! À moi l'autre cognac... À moi... zut, ce troisième cognac, comme de l'eau sur la table :

– Fait rien, Michette... Trois cognacs, Pol.

Tout à l'heure, j'aurai à donner beaucoup d'argent pour six cognacs dont un avait passé dans la serviette de Pol. Ah ! l'argent !... Mais j'aimais bien ce Pol.

– Ça boulotte, Pol ?

– Oui, monsieur. Ça boulotte : on ferme. À part cela, je ne suis pas Pol.

– Tu n'es pas ?... Si, tu es Pol.

– Non, m'sieur.

– Allons ! allons ! je te l'affirme : tu es Pol... Paie-toi. Voilà vingt francs... Pol.

Qu'avait-il ce Pol ? Je savais parfaitement : ces vingt francs étaient une pièce de cinq sous : à bon droit, il m'en réclamait davantage. Je savais aussi : ces cinq sous étaient de l'or. Pourquoi ne me rendait-il pas ma monnaie ? Et puis tant d'argent pour des cognacs dont un avait été bu par sa serviette ! Cela tourna mal :

– On se retrouvera Pol !

Quelle belle nuit ! Les autos, pfu ! Les tramways, on les... Michette chérie se pendait à mon bras. Elle m'aimait ! Claire, derrière nous, voyait sans doute qu'elle m'aimait. Demain, j'en pleurerais. Pour aujourd'hui, tant pis. Pfu !

– Tiens, Michette. Voilà la dalle, où ton talon

certain jour... Je te sauverai Michette. Tu me sauveras. Claire, encore un café?

– Non, on rentre.

– Alors, un tour...

– On rentre, mon petit.

Soit! Michette à mon bras, on rentrerait et tant pis pour la concierge. Ah! tu as une barre pour assommer les chats! Voilà mon pied dans ta barre.

– Jean Martin, le vainqueur des tomates, l'auteur d'un...

– Tais-toi voyons.

– Bon!... bon... Ce qu'il y en a des marches: une... deux... plus que des cognacs, moins que des gestes pour enfiler une chemise... Tu as la clé? Non, mais, regarde ce lit! Se fourrer là-dedans après une si belle journée. Causons un peu. J'ai quelque chose à dire.

– Demain, mon petit. Tu es fatigué. Couche-toi.

– Fatigué, moi! J'ai quelque chose à dire.

Il y eut alors un gros désarroi: Claire qui tirait Michette par les vêtements pour l'envoyer dans sa chambre; Michette qui s'accrochait dans mes bras et n'en voulait pas sortir; moi qui la défendais en cherchant ce que j'avais à dire. Nous parlions tous les trois. De gros coups tombaient du plafond sur nos têtes.

– Taisez-vous, criait Claire. Vous éveillez les locataires.

Éveiller les locataires? Pfu! J'avais à défendre Michette.

Tout en luttant, je devinais son jeu: «Toi, ma petite, tu espères une dernière cigarette.» En même temps, je pensais : « Si pourtant elle t'aimait » et alors pourquoi Claire prétendait-elle me voler cette femme qui m'aimait ?

La scène changea parce que Michette ne fut plus là. Je me trouvai seul avec Claire. Ses dents claquaient ; ses mains tremblaient. Qu'avais-je fait ?

– Je t'ai énervée, Claire. Je te demande pardon.

– Ce n'est rien, mon petit. Tu es un peu malade... Couche-toi.

– Pas malade... Si tu savais... Mais nous serons heureux, tu verras.

Que se passait-il ? Qui m'avait mis au lit ? Et Michette ? On l'avait renvoyée de l'école et son ignoble père... je dus me lever. Tant pis pour les gestes : je repris mon pantalon, j'attachai mon col, je boutonnai ma veste...

– Où vas-tu ?

– J'ai quelque chose à dire.

– Dis-le à la fin ; et couche-toi.

– Pas à toi, Claire. À Michette. Rien qu'une minute : je t'en prie.

C'était certain : un événement grave se préparait. Claire en pleurerait, j'en aurais de la peine, mais cette minute, je la voulais. Ce que j'avais à dire, je le dirais. Mais qu'avais-je à dire ?

– Claire, je t'en prie.

– Eh bien ! va.

Michette ne pensait pas à moi. Encore habillée, elle contemplait les œuvres de Dah. Sous son oreiller, je le savais, elle cachait un portrait de son père. Qu'avais-je donc à lui dire ?

– Michette... je t'en prie... Laisse tout cela. J'ai... Viens chez maman.

Elle me suivit. Claire remontait un réveil. Ses douces mains, ses saintes mains, ses intelligentes mains, les avilir sur un réveil ! Je me traînai à genoux.

– Je t'en supplie, Claire, laisse-moi cette besogne. C'est ma fonction.

Humblement, je donnais un tour de clé, un autre tour de clé ; au troisième, un gros cœur rouge battait sous mes doigts. Je le reconnus tout de suite. Je n'en fus pas étonné. Je me trouvais dans une salle, devant un public que je distinguais mal. Bien en vue : Michette. Plus en avant : son nez et ses plis à cause d'une cigarette. Plus loin : Claire. Je levai la main avec le cœur.

– Mesdames, messieurs, je tiens entre les doigts le cœur vivant de Dostoïevsky.

– Hou !... Couche-toi... Malade...

Le public accueillait mal mon début de conférence. Je m'y attendais. J'aurais à crier fort. Je m'adressais surtout à Michette qu'on avait renvoyée de l'école et dont le père avait jeté dans mon cerveau des pensées de charogne. Des Dragons, du latin : je choisissais des phrases à la façon de Dah. Je me jugeais bête, mais on comprendrait que j'appartenais, moi aussi, à la race de ceux qui ne mangent pas de mouches.

À gauche, à droite, Claire s'agitait de tous les côtés à la fois. Pourquoi était-elle furieuse ? On me poussait dans le dos. Qui me bousculait ainsi ? Je dus hausser la voix.

– Ce cœur, mesdames, si rouge d'amour...

Mon cœur aussi était rouge d'amour. Au-dessus de ma tête, des gens escaladaient une tribune. Tantôt, elle n'existait pas. Pan-pan-pan ! Pan-pan-pan ! on frappait de gros coups comme au théâtre.

– Suffit !... Réveiller le monde... Mettre à dos la concierge...

Je partageais cet avis. À cause d'Ami-Chat, il était dangereux de se mettre à dos la concierge. Que faisait-il Ami-Chat ? Il ne fallait pas non plus irriter Claire. Mais Michette ouvrait de grands yeux comme devant les chefs-d'œuvre de Dah et je me devais de glorifier ce cœur, puisque tel était l'objet de ma confiance.

– Ce cœur, mesdames, qui a tant aimé les hommes...

– Hou !... Hou !... Silence...

À un moment, je perçus des mots précis :

– À bras raccourcis...

Je m'arrêtais net. Je me rendis compte. Voulant m'arracher Michette, Claire l'avait bousculée, et Michette exagérait à sa manière : « Maman est tombée sur moi à bras raccourcis. » Cela n'avait aucune importance. Mais ces « bras raccourcis » soulevaient un problème. Comment avais-je quitté la salle ? Nous étions entre nous. Cérémonieusement je pris une main de Michette, une main de Claire. Je les menai vers des chaises.

– Asseyez-vous.

Je m'assis de même.

– Et maintenant, dites-moi : de quel côté, ces bras sont-ils raccourcis ? Est-ce du côté de l'épaule ?

Je montrai l'épaule.
– Ou du côté du...
Je montrai le poignet.
– Ou plutôt par le milieu, du côté...
Je voulus mettre le coude... Le gaz ne brûlait plus. J'étais au lit. Claire dormait. Qu'avais-je raconté tantôt au dîner ? Ah ! oui, sa maladie. Elle ne cessait de parler. Elle disait des choses surprenantes. Elle invoquait Dieu, ce Dieu qui, une nuit, m'avait écrasé dans mon lit. Je sautai debout.
– Je n'ai pas peur... Dieu... Je n'ai pas peur.
Je mettais les poings sous le nez de Dieu ! Quelque chose de mou cédait sous mes pieds. C'était le matelas et ce ne l'était pas. Du noir frôlait ma tête. De ce nuage, une main sortit, avec des lanières pareilles, à la fois, à la barre du concierge et au chat à neuf queues qui s'abattait sur le dos d'un pauvre homme au théâtre.
– Un... deux... trois... Je n'ai pas peur !
Comme l'acteur, je présentais les reins. J'acceptais les coups, j'en voulais plus ; chaque coup qui tombait sur moi, était un coup de moins pour les autres. Je les prendrais tous : les coups pour Michette, les coups pour Claire, les coups pour le père, les coups pour...
– Encore !... Encore !...
Je montrais des poings méchants, pour qu'on me frappât davantage.
Une étoile s'alluma. Elle brillait mal, enveloppée de la gaze verte de notre abat-jour. De tout temps, j'avais détesté le vert de cet abat-jour. Le piano riait

avec ses dents d'idiot. Levée, habillée, Claire enfonçait un chapeau :

– Dans l'état où je suis, quelle imprudence de me laisser seul ! Il faut pourtant qu'elle aille.

Puis, je n'y pensai plus. J'avais à prendre tous les péchés du monde, sur mes faibles épaules. Jamais je n'en aurais fini :

– Encore !... Encore...

Claire ne revint pas seule. Un jour on avait appelé le médecin de quartier pour Michette qui souffrait de la gorge. Je reconnus cet homme. Il nous avait ahuris : « Pas de gargarisme ! Des irrigations : au besoin avec une canule d'injecteur. » Une canule dans la gorge de Michette ! Sa bouteille se trouvait encore sur une console, intacte. Je me souvins du nom : quelque chose comme de l'*eau de baraque*. Que me voulait ce débitant d'eau de baraque ? Si je lui lançais son flacon à la tête ? Mais pourquoi peiner ce brave homme ? Seulement, il n'aurait pas dû me regarder la langue, ni me prendre le bras pour me tâter le pouls.

Il demanda ensuite : « Un fond de vin ; n'importe quoi pour lui donner à boire. » Nous n'avions pas de vin. Je pensai :

– Tu te crois dans la maison d'un ivrogne. Pas de vin, cela t'étonne.

Je déclarai :

– Je ne suis pas saoul.

Il versa quelque chose dans une tasse.

– Évidemment. Vous en boiriez du meilleur à Constantinople, près de la mosquée Sainte-Sophie.

Je n'eus l'air de rien. Je me dis :

– Vraiment, croit-il me la faire avec sa Sainte-Sophie.

D'ailleurs qui était cet homme ? De quel droit pénétrait-il chez moi ? Il me vint des invectives plein la bouche. Je l'ouvris. On y poussa la tasse. Je bus.

– À la bonne heure... Et maintenant...

Il avait écrit quelque chose, repris son chapeau. Claire le mena vers la porte. Pour un instant, je laissai là tous mes péchés du monde. Je tendis l'oreille. C'est sur le seuil des portes que les hommes de sa trempe laissent tomber le masque. J'entendis :

– Bon sommeil... n'y paraîtra plus... vingt francs.

Ah ! oui. Je compris : les vingt francs de Pol. Cette idée était rassurante :

– Dormons, Claire.

– Dors, mon petit.

VII

Le lendemain...

Quand les réveils se changent en cœur, les heures ont bien le droit de marcher à rebours des cadrans. Ce lendemain arriva peut-être huit jours plus tard. Comment expliquer cela ? Le soir tombait, on allumait le gaz et je n'avais pas vu la lumière du jour. Je disais un mot à Claire, Michette répondait en regardant un moineau dans un parterre du Luxembourg. Une fois avec Claire je me promenais le long d'une route et c'était à Bourg-la-Reine. Elle me faisait manger quelque chose qu'elle s'obstinait à nommer une pomme. Je ne saurai jamais de quels éléments se composait cette pomme.

Depuis la nuit du cœur, il y avait deux Martins. L'un qui s'observait et se jugeait avec sévérité : Martin I. L'autre, comme votre petit Eugène, la volonté tuée, qui n'aurait pu agir autrement : Martin II.

Une chose était sûre. En prenant sur mes épaules les péchés de ce monde, j'avais rejeté les tracas de la terre. Plus de Jeanne ; plus de livres à écrire ; plus de problèmes d'argent ; plus rien de ces vilains tracas à propos de Michette. Si Martin I s'en souvenait, il appelait au secours Martin II et se réfugiait avec lui sous le manteau des péchés de ce monde.

Martin était doux. Si Michette ne m'aimait pas, à cause de Dah, je pardonnais. Si elle n'avait pas résisté à son père : je pardonnais. Pauvres pécheurs, avec les autres péchés, je prenais leurs fautes, sur mes faibles épaules. Cela formait une phrase :

– Ayez pitié des pauvres petits artistes qui ne savent pas le grand mal qu'ils ont fait.

Les pauvres « petits » c'était moi, c'était le père, c'était Michette. La phrase dite je la reprenais. Martin I se rendait compte : ce murmure agaçant durait des heures, Martin II ne pouvait s'obliger à se taire.

Michette venait. C'était doux. Elle m'essuyait la face avec un linge, et Véronique autrefois avait essuyé la face du Christ :

– Je te bénis, ma Véronique.

Je devenais Lazare. J'attendais... j'attendais... Un jour le Christ dirait : « Lève-toi, Lazare... » et je me lèverais.

Comme son père, je tenais la main de Michette. Quel bonheur qu'on l'eût renvoyée de son école :

– Pour moi, Michette, cette croix, sur mes faibles épaules. Tu écriras des livres. Tu aimeras ta mère. Les livres, nous les écrirons ensemble. Nous irons à Bourg-la-Reine. Je ne me fâcherai plus. Quand tu prieras, je prierai avec toi. Je fermerai les yeux, comme toi. Tu cueilleras les feuilles du petit buis. J'en cueillerai avec toi. Tu les enverras à Dah, de ma part, Michette... de ma part...

Elle était pure, cette Michette. Sur ma cheminée se trouvait une Madone. Martin I savait : « C'est un peu de plâtre. » Martin II lui caressait les joues, essuyait, une à une, les larmes hors de ses yeux :

– Ne pleure pas, Michette.

Il aurait voulu que la Michette en chair comprît : c'était pour elle qu'il consolait cette Madone de plâtre.

J'avais soif. Claire m'apportait un beau verre transparent. C'était de l'eau, c'était Michette. Je craignais, en la buvant, de polluer une vierge. Je préférais subir la soif.

Martin I cependant voulait sauver Michette. Il le voulait en douceur sans les roues d'autrefois :

– Sauve-toi, Michette... Sauve-moi...

– Je suis trop jeune.

Ah ! oui, trop jeune ! Au mur, au-dessus de ma tête, se tenait une autre Michette. Martin I la connaissait : un portrait au pastel par son père, inachevé. Martin II la contemplait. Elle portait sa belle robe à volants jaunes de quand elle avait treize ans. Un accident avait tordu son bras en tronçon de serpent rose. Moins parfaite, elle était plus près de moi. C'était la bonne Michette. Elle souriait. Elle tournait les yeux ; en cachette, pour moi seul, elle levait un doigt. Elle parlait :

– Je veux bien te sauver... Vois mon bras. Je suis trop jeune... derrière ce verre.

Quand elle me parlait, je ne me trouvais plus ni dans mon lit, ni ailleurs. Mon corps entier était un œil pour voir. Puis tout à coup, je reconnaissais la première Michette, avec son linge de Véronique. Quelquefois aussi, il y avait une Michette, avec sa vie de Michette. Celle-là boudait, tapait du pied, n'était pas sage avec sa mère, parce que... parce que... Toujours à cause de Dah. Martin I pensait :

« Je suis malade pourtant, j'aurais besoin de paix... » Martin II était triste.

Et Ami-Chat, tout seul à Bourg-la-Reine ! Avais-je ou non fermé la porte ? Je bondissais sur mon lit :

– Ami-Chat ! Ami-Chat !

– Il est ici.

Ah ! oui. Dans l'œil, me restait le souvenir rouge d'un sac que Michette secouait et Ami-Chat en sortait.

– Ami-Chat ! Ami-Chat !

Je le voyais à terre quand il dormait sur mon lit. J'en voyais d'autres, pas rouges comme Ami-Chat, des gris, de la couleur d'une couverture que je n'aimais pas. Pourquoi m'imposait-on cette couverture ? Ils sortaient de là pour m'écraser.

Je regardais Claire. Quel bonheur ! Ses 'élèves ne venaient plus. Martin I s'inquiétait : « C'est à cause de toi... Et l'argent ? » Martin II se moquait de l'argent :

– Je suis content.

– Oui... Ne balance pas la tête. Pose-la sur l'oreiller.

Quelle tête ? Quel oreiller ? Une autre bête pesait sur moi, grise, composée, en une seule, par tous les chats. Je la repoussais du pied.

– Qu'on enlève ça ! Qu'on enlève ça !

– Sois calme. Tu déranges ta couverture.

Une couverture ! Ma pauvre Claire, depuis sa maladie, elle n'avait plus le cerveau solide. Je pensais au mal que j'aurai pu lui faire : un glaive de plus dans son cœur aux sept douleurs. Je pensais au mal que je pourrais encore lui faire. Je voulais lui demander pardon. Mais si je parlais, on me volerait Michette :

– Si tu savais comme les idées ont mal sous le front.

– Tu as mal sous le front. Ce ne sont pas tes idées.

– Si, si. Là... là...

Je montrais la place. J'en sentais de rondes, de pointues, d'oblongues, de légères, oh ! légères comme une feuille de papier, un papier à lettres, le papier des lettres qu'écrivait Dah !

Un peu plus tard à cause d'une grippe, j'eus deux régions dans la tête : celle pour la grippe, celle pour les idées : les unes en tourbillons dans ma tête, les autres en chien crevé, à la surface de l'eau.

La nuit ne servait pas à dormir. Claire à mon côté semblait une morte. Je l'éveillais :

– J'ai à te parler.

– Oui, mon petit. Dors.

Martin I comprenait : elle s'était fatiguée, elle avait besoin de dormir. Martin II devait parler :

– Écoute : la crainte de Dieu, n'est-ce pas ? est le commencement de la sagesse.

– Oui : le commencement... Dors.

– Une minute, Claire. Je mêle ces mots : je les réunis au hasard : le commencement de Dieu est la crainte de la sagesse. C'est plus...

– ... juste, oui... Dors.

– Je voudrais tant que tu dormes, Claire. Encore un instant. La sagesse de Dieu est le commencement de la...

Ses yeux se fermaient. Elle redevenait une morte. Pauvre morte ! Comme elle avait eu de la peine. Comme elle en aurait encore. J'acceptais dans mon cœur les souffrances de cette morte.

Le jour quelquefois elle ouvrait son piano.

– Joue un peu de Beethoven, Claire.

– Et du Wagner.

Michette, moi, qui l'avait demandé ? J'étais content. Je savais pourquoi Michette était contente. En écoutant le Wagner, elle écrivait des lettres, des lettres pour Dah, des lettres avec des pointes, comme les idées qui me piquaient dans la tête. Je regardais Michette... J'aurais tant voulu... tant voulu... Voulu quoi ? J'interrogeais l'autre Michette. Dans sa robe à volants, elle ne pouvait rien, en prison derrière son verre.

Un midi Michette que j'avais vue partir, rentra en coup de vent. Elle semblait très animée.

– Tu as pris un taxi ? demanda Claire.

– Oui.

Elle se mit alors à raconter une singulière histoire. Je tâchai de comprendre. Je ne saisis pas tout. Elle était entrée quelque part « comme dans un moulin ». Elle avait traversé des pièces « sans rencontrer un chat ». Un monsieur collait son oreille dans le dos d'un autre dont on voyait la poitrine. Dans un bocal, elle avait vu une néphrite « oui, une néphrite », ouvert puis refermé un placard où pendaient des masques et des travestis. Finalement, une infirmière avait dit :

– C'est ça, je lui remettrai votre lettre.

Que signifiaient ce chat, ce moulin, cette néphrite ?

J'eus de quoi réfléchir.

À la soirée quelqu'un vint. Nous nous étions rencontrés une fois. Il m'avait dit :

– À l'occasion si vous avez besoin de moi...

Et voilà, il était là. Je le reconnus tout de suite.

– Tiens ! le docteur Delpierre.

Seulement je n'avais pas besoin de lui. Il ne se passa d'ailleurs rien. Il n'enleva pas son manteau. Les mains au fond de ses poches, il se pencha et mis ses yeux dans mes yeux. Il montrait un grand front, une forte mâchoire, un nez épaté : on aurait dit Beethoven. Martin II fut ému parce que Beethoven s'était dérangé pour venir en personne à mon lit. Je le regardai avec émoi.

Le lendemain, de nouveau, il fut là, puis tous les autres soirs. Ma journée se passait à l'attendre. La petite Véronique devait m'essuyer la face pour qu'elle fût nette quand il arriverait. Il avait toujours ses mêmes façons d'arriver : la sonnette que je n'entendais pas, ses gros talons, son front en avant, puis ses yeux dans les miens. Je pensais d'abord au moulin, au chat, à la néphrite qui avaient précédé sa première visite. Je ne sais quoi de doux me lia très vite à lui. Je n'aurais pas voulu qu'il me prît pour un mauvais homme. Beethoven ausi m'eût réprouvé si j'avais été un mauvais homme. Il me dit un jour : « J'ai lu vos livres. » Il les aimait. Que m'importait ? Autre chose, et mieux, me venait de lui. C'est peut-être cela l'amitié. Quand il partait, un reproche dans ma conscience me détournait de Michette. Beethoven n'eût pas admis que j'aimasse cette enfant.

Nous causions. Quand elle en trouvait l'occasion, Michette vantait sa Côte d'Azur. Une fois il dit :

– Eh bien, c'est cela. Vous vous entendez bien, vous deux. Vous irez ensemble.

Voyager si loin en tête à tête avec Michette ! J'en fus heureux à cause de Michette, furieux parce qu'elle verrait Dah, peiné parce que je duperais Claire, triste parce que, ce dangereux bonheur, je le devrais à Delpierre. Je dis : « Oui », puis aussitôt au fond de moi : « Non ».

On ne parla plus de ce voyage.

Rarement un homme me fit rire de si bon cœur. Comme vous, il me trouvait amoral. Mais pas à la mesure de vos angles. Il traçait de petits dessins. D'abord une grosse barre qu'il appelait « la normale » ; puis de menus zigzags qui s'adaptaient de leur mieux à la normale ; d'autres qui s'en éloignaient franchement, d'autres enfin qui s'en fichaient, à tort et à travers de sa barre. Il me disait :

– En temps ordinaire, vous êtes ceci.

Il montrait les zigzags loin de la barre.

– Maintenant, vous êtes cela.

Son doigt se posait sur les grands. Un sourire creusait une fossette d'enfant dans son menton de Beethoven. Il ajoutait :

– Ne vous en faites pas. Être ceci, être cela, c'est la rançon de votre Art.

Je ne sais ce qu'il y eut de vrai dans l'histoire qui survint alors. Un jour, il entra avec son grand front ; puis de nouveau ; puis de nouveau. Quand je songeai à les compter, ils étaient quinze, quinze Delpierre et leurs trente yeux dans les miens. Martin I savait :

dans ces quinze, un seul était vrai. Mais lequel ? Aucun, soutint Claire. Mais alors quand il vint ! au lieu de quinze, il y en eut seize. Ah ! Ah ! C'est lui, qui certaine nuit se glissa sous le lit, pour me tirer par les pieds. Ah ! Ah ! Et les histoires qu'il me racontait ! Un de ses malades était chauve, mais vraiment ce qu'on peut appeler chauve, puisqu'il ne lui restait pas un cheveu : « Comment te nomme-t-on, mon ami ? – Le beau frisé, monsieur » Ah ! Ah ! Cet autre était une jeune fille. Pour toute nourriture, elle ne prenait qu'un demi-hareng par jour : « Pourquoi, petite fille ? – Je suis trop grosse. Mon ami ne me veut plus. » Cette autre... Je me tordais.

– On voit des cas bizarres à la Salpêtrière. Quels documents pour un écrivain ! Vous y devriez faire un séjour.

– Ah ! ah ! Des documents !... Un séjour !

– Je me charge des démarches.

– Ah ! ah ! Les démarches. Et mes cheveux ! on me couperait les cheveux.

– Mais non ! On respecterait vos cheveux.

Alors un soir, comme il s'en allait, Michette le suivit. Ils se parlèrent longtemps derrière la porte. Que pouvaient-ils se dire ? Mon lit était trop loin, je n'entendais rien, je savais tout. Je me traînai, les bras en avant :

– Michette !... Pas à Delpierre... Michette !...

Il rentra brusquement. Et son front :

– Eh ! bien quoi ?

– Oh ! rien... Ah ! Ah !

Le lendemain, il me raconta d'autres histoires. À un moment, on nous laissa seuls :

– Michette m'a tout dit.

– Tout quoi ?

– Tout... entre vous...

Il semblait un Beethoven furieux ; et aussitôt, son sourire à fossettes :

– Mais je suis tranquille. Vous êtes un honnête homme.

Un honnête... Ah ! Ah ! Je m'esclaffai. Les larmes m'en vinrent aux yeux.

J'aurais voulu mourir.

VIII

À cause de ma grippe, depuis quelques jours, je mangeais peu. Un midi Claire me prépara une crème. Une belle crème : jaune, du lait, du sucre, du blanc d'œuf en neige. Comme on dit : on l'aurait mangée des yeux. Je dis en effet :

– Je la mange des yeux.

Puis de nouveau :

– Je la mange des yeux.

Et ce fut tout. Je repoussai mon assiette :

– Je n'ai plus faim.

Le soir, Claire revint avec sa crème. Pouah ! Cette chose que j'avais mangée des yeux, je n'allais pas... Je me fâchai :

– Quelle horreur ! Enlève ça. Ça pue !

Je fus trop dégoûté pour accepter autre chose.

Le lendemain, il y eut des radis. Excellent des radis. J'en trempai un dans le sel. Je suçai le sel :

– Croque ton radis.

– Ah ! oui.

Je le trempai dans le sel. Je suçai le sel.

– Croque-le, voyons.

Je le posai sur la nappe, je mis un autre dessus, puis un autre. J'aurais voulu les faire tenir, comme les assiettes de Claire, en tour penchée de Pise. Je ne réussissais pas. Je n'eus plus faim.

Au repas suivant, un peu de viande se trouva au bout de ma fourchette. Il aurait fallu soulever ce poids :

– Trop lourd. Pas la force.

– On va t'aider... Ouvre la bouche.

Je fermai la bouche. Comme la fourchette arrivait, je détournai la tête :

– Pas faim.

Une autre fois, Claire s'attrista :

– Mon petit, tu dois manger.

Par pitié, je mâchais un bout de pain. J'eus aussitôt l'envie d'avaler le pain tout entier. La preuve était faite ! C'est quand on mange qu'on a faim. À l'avenir, je ne mangerais plus.

Ne pas manger, Mlle Brichard me l'a expliqué, c'est un symptôme. Il y a un mot pour cela. Le malade ignore pourquoi il jeûne. Les explications qu'il donne, il les invente après coup. Euh ! les miennes existaient d'avance. Comme mon chien crevé à propos du peintre, elles étaient remontées à la surface. Le « vous êtes un honnête homme » de Delpierre ? Qui sait. Ensuite, Michette n'aimait pas les gens gras. Elle préférait les maigres. En jeûnant, on devient maigre. Il y avait aussi une question de date. Mars finissait, le mois suivant j'aurais quarante-huit ans. J'avais prédit : « Je n'irai pas jusque-là. » Et puis, si vraiment, on pouvait vivre sans manger, quelle révélation pour des milliers de bougres qui se crèvent pour une croûte. L'expérience poussée à bout, je donnerais des conférences. J'avais une raison plus profonde. Celle-là, comme la clé d'une tour d'où l'on ne sortira plus, je l'avais jetée par la fenêtre. Inutile de discuter; plus moyen de discuter. Quoi encore ? Ne mangeant pas, on m'y forçait. Claire, Michette s'occupaient de moi. J'avais besoin d'être aimé : on m'aimait davantage. Évidentes pour Martin I qui s'observait, ces raisons n'existaient pas pour Martin II qui jeûnait, parce qu'il n'aurait pu agir autrement.

Aux heures de repas, j'attendais Claire. Elle tâcherait de me prendre par la gourmandise. Qu'aurait-elle inventé ? Quand je refuserais, se fâcherait-elle ? Elle arrivait avec son plat, Martin I la devinait anxieuse. Elle ne montrait rien. Elle souriait :

– Regarde comme c'est bon. Régale-toi.

Cela semblait bon en effet :

– Je n'ai pas faim.

Un pli lui venait dans le front. Elle tâchait de se dominer, taquinait du bout de la fourchette le bord de ma bouche.

– Ouvre-la, voyons !

– Mange, ordonnait Martin I.

– Pas faim, répondait Martin II.

Les lèvres serrées, elle m'enfonçait de force sa fourchette. Ses mots s'énervaient :

– Avale, voyons !... Avale... avale...

Martin I comprenait : tant de douceur, tant de patience pour se buter à l'entêtement d'un... Ah ! s'il l'avait pu, il aurait avalé l'univers pour lui plaire. Martin II écartait la fourchette.

– Je te demande pardon, Claire. Vraiment, je ne puis.

Pan ! comme il ouvrait la bouche, quelque chose y entrait. Ce n'était pas mauvais ; au contraire, c'était bon. Une main, du fond de l'estomac, montait pour happer ce qu'il y avait de bon sur la langue. Claire attendait anxieuse, Michette curieuse. Manger devant elle ! Et la clé ! Tout sortait.

– Alors, prends un peu de lait. Boire n'est pas manger.

En effet, boire n'est pas manger. Martin I connaissait la manœuvre. Une tasse, on la saisit par l'anse, ou tout entière à deux mains. Martin II voulait qu'on la lui présentât devant la bouche et préférait que ce fût Michette. Puis il serrait les lèvres. Le lait se perdait le long du menton. Ce qui entrait, s'arrêtait dans la gorge, comme un gargarisme à l'*eau de baraque*.

– Vois les yeux de Claire, pensait Martin I. Avale, avale.

– Grr... grr... se gargarisait Martin II.

– Avale... Tu étouffes, s'effrayait Martin I.

– Grr... grr...

Malgré tout, mes grimaces faisaient rire. J'éclatais aussi. Le gargarisme filait où il voulait.

Et Delpierre ? Eh ! oui. Delpierre ne venait plus. Avec Claire, Martin I s'inquiétait :

– Qu'a-t-il ? Serait-il malade ? En voyage ? Et ses démarches...

– Ni malade, ni en voyage, songeait Martin II. Delpierre est au pied de la tour. Il rôde, il cherche, il cherche la clé de la tour.

Un jour, deux jours, quatre jours, chaque jour apportait son jour où je n'avais pas mangé. Je les comptais sur mes doigts. Il y en eut cinq pour la main gauche, cinq pour la main droite, puis de nouveaux pour la main gauche.

Des pensées me venaient: « Un jour... deux jours... treize jours, jusqu'à la fin avril combien compter encore de jours? Il y a le miel du Gâtinais. Rien que le nom est déjà si bon qu'on l'étalerait sur une tartine. Il y a la crème d'Isigny, si douce qu'on ne sait comment elle serait plus douce: avec du sucre ou sans. Claire aussi est douce. Jeanne était douce et... faire sauter une maison. Un jour, deux jours, treize jours, demain combien de jours?... Que ferais-je si Claire m'offrait une meringue, deux meringues, trois jours, dix jours, treize jours... Il y a les tomates qui sont des derrières de singe. Il y a le homard:

Persil vert
Plat couleur d'argent
Avec le rouge du homard
Les garçons peignent des natures mortes
À la porte
Des restaurants.

Que ferais-je si Michette disait « Mange du homard »? Je ne mangerais pas du homard. Si Michette disait: « Si tu manges du homard, je t'aimerai ». Plus puissant que les aigles qui ne mangent pas de mouches, je ne mangerais pas de homard. Et Delpierre?

Persil vert
Plat couleur d'argent

Delpierre cherchait la tour
À la porte
Du restaurant. »

Des amis venaient. Il en vint un. Il était le secrétaire de mon éditeur. Un livre broché en vert, je le désirais broché en jaune. Il m'apportait ce livre en jaune. Mais pourquoi voulait-il que je mange ?

Il en vint un que j'aimais bien. Il m'embrassa. Il avait mal rasé sa barbe. C'est plus doux que d'une Michette, les joues d'un ami qui n'a pas pris le temps d'enlever les piquants de sa barbe. Mais pourquoi voulait-il que je mange ?

Il en vint. Il portait toute sa barbe :

– Un effort : une si bonne orange.

– Si bonne ? Mange-la, toi.

– C'est différent. Je n'ai pas faim.

– Ni moi.

Pourquoi voulait-il que je mange ?

Des lettres venaient. Celles-là aussi voulaient que je mange !

J'étais heureux. J'avais l'esprit lucide – et pur comme celui des Anges qui ne mangent pas, devant le Trône de Dieu. Pourquoi permet-Il que la mémoire perde ces belles pensées ? Ce que je n'avais jamais compris, je le comprenais. Des livres entiers se composaient dans ma tête : il m'eût suffit de les écrire. Les objets étaient ce qu'ils étaient : ils signifiaient en même temps autre chose. Le chat qui m'enfonçait ses griffes, c'était la vie qui se faisait les griffes sur les mains de Martin. Martin savait pour quelles causes profondes le piano de

Claire était plus que le piano de Claire. Martin savait tout :

– Mon Dieu ! où donc ai-je déposé cette épingle ?

– C'est sur la cheminée, entre les genoux du Bouddha que tu as déposé cette épingle.

Derrière la cloison Michette marchait dans sa chambre : pas à pas, Martin savait pourquoi Michette marchait dans sa chambre. Claire pensait : Martin suivait la pensée de Claire. Et quel calme ! Tout oscillait : Claire, le piano, Michette, les meubles, le Bouddha – et moi seul bien d'aplomb !

Ne plus parler de cela ? Soit. D'ailleurs Mlle Brichard m'a fait manger. Mais, dites-moi, cela vous semble-t-il naturel d'entrer dans une église, parce qu'une Michette vous y a mené ? Pas à moi. En tous cas, nous y fûmes ensemble. On célébrait un office de la Semaine Sainte. L'autel était vide, le tabernacle ouvert comme une maison dont le maître est parti pour toujours. Au milieu du chœur, sur un triangle, des cierges étaient piqués, six à droite, six à gauche, plus un tout seul, au sommet. Les cierges du côté figuraient les Apôtres : l'apôtre Pierre, l'apôtre André, les autres et enfin l'apôtre Jean, mon patron, à la droite, mais un peu en dessous du cierge seul qui représentait le Christ. On chantait les plaintes de Jérusalem !...

Hierousalem !... Hierousalem !...

De temps en temps, un méchant bedaud éteignait un des cierges. Ainsi, poussés par les démons, les Apôtres avaient abandonné, l'un après l'autre, leur divin Maître. Un beau drame figuré avec un rien de feu, au bout d'un rien de cire.

Malgré ses simagrées de bigote, Michette ignorait tout des rites religieux. Je les lui expliquai. J'étais ému. À chaque cierge, ma pensée gémissait :

– Pas celui-là ! Pas celui-là. Qu'on ne Le laisse pas seul. Qu'on ne me laisse pas seul.

– Hierousalem !... Hierousalem !...

Ces mots pleuraient. Ils pleuraient sur Jérusalem. Ils pleuraient aussi sur moi.

Au deuxième cierge, Claire entra. Comment nous savait-elle cachés dans cette église ? Elle n'entra pas comme on entre : par un portail. Elle surgit de derrière l'autel, face aux fidèles. Nous nous aperçûmes en même temps. Nous pûmes voir ainsi, elle, que sa fille et Martin priaient coude à coude ; moi, qu'elle pleurait, avec des yeux en l'air de sainte. Je sus pourquoi elle pleurait. Elle pleurait, non parce que les « Hierousalem » auraient pu l'émouvoir, ni parce que j'étais soi-disant malade, ni parce que ce jour encore j'avais refusé sa nourriture. Elle pleurait parce qu'un soir, ayant prié, coude à coude, avec son peintre, elle avait conçu Michette et que maintenant cette Michette et moi, c'était notre tour. Voilà pourquoi elle pleurait. Faute de chaise, elle dut s'agenouiller derrière nous. Elle put se rendre compte comment, chastement unis, nous prenions Dieu à témoin... Comme elle ! Comme elle !... Je ne sais pourquoi une colère me mit debout. Le jubé hurlait : « Hierousalem !... Hierousalem !... » On éteignait le onzième cierge. Claire, Michette, je ne les avais jamais autant aimées.

Je les laissais en plan.

IX

Un soir, Delpierre fut de nouveau là. Et tout de suite ses yeux dans les miens.

– Ah ! ah ! vous avez cherché la clé ?

– Quelle clé ?

Non, il n'avait pas cherché la clé ; pas été malade. Martin I constata qu'il portait le deuil. Pauvre Delpierre ! Martin II rigola :

– Il fait son deuil de ma clé.

– Mais vous avez été bête, dit Delpierre.

– Bête, pourquoi ?

– De ne pas manger.

Martin I s'y attendait. Martin II se tordit. Il regarda Delpierre s'écarter, puis chuchoter avec Claire. Je les arrêtai :

– Pas la peine, Delpierre, j'entends ce que vous dites.

– Que disons-nous ?

– L'hôpital... Pour lundi : vous viendrez me chercher.

– Et vous êtes content ?

– Très !

Un souvenir me revint. Quand cela se passait-il ? À mon côté, Michette : « Je suis trop jeune » ; le métro en vitesse très haut sur un pont ; dans le bas, une place avec des arbres ; un porche, de vieux bâtiments, la coupole d'une église : la Salpêtrière. Mon doigt s'était pointé : « C'est là que je finirai : *in pace.* » Donc j'y allais de plein gré... pour Michette.

– Alors, puisque vous êtes content, vous allez manger. Et tout de suite. Devant moi.

– Jamais de la vie.

On doit être maigre pour entrer à l'hôpital. J'eus une raison de plus.

– Fort bien ! Gare à la sonde.

Quelle sonde ? Je ne m'inquiétais pas d'une sonde. J'avais autre chose à penser. À l'hôpital, chez les humbles, chez les simples : je serais à ma place. J'étais heureux. L'hôpital, ce n'est pas un refuge, où l'on vous enfonce une sonde. Comme les maisons où les moines se sanctifient, l'hôpital est un couvent : le couvent de la souffrance, cette souffrance, qui, comme le pain que l'on porte sans souillure à sa bouche, comme l'eau qu'on ne gaspille pas, comme le corps, temple du Saint-Esprit, est un bienfait de Dieu. À cause de Jeanne, un Père Abbé m'avait refusé une place parmi ses moines. Saint comme le Père Abbé, le médecin de l'hôpital me jurerait-il digne des pauvres Moines de la souffrance ? Étais-je assez pur ? Assez doux ? Assez simple ? Et maigre ? Au lieu de quelques semaines, que n'avais-je jeûné pendant des mois ? Et Delpierre ! Mon bienfaiteur, j'aurais voulu lui baiser les mains. Il était bon. Il ressemblait à Beethoven. Comme Beethoven, « il ne reconnaissait qu'un signe de supériorité : la Bonté ».

En ce moment, j'aperçus Michette. Que m'importait Michette ? Que m'importait Dah et son rocher ? Que m'importait le peintre ? Seule Claire comptait, et son piano, et son Beethoven. Elle aussi ne reconnaissait qu'une supériorité : la Bonté.

Il me restait deux ou trois jours d'attente. J'aurais voulu les passer en pensées saintes : il fallut descendre aux pensées de la terre. Un peu d'argent nous était venu. Mes vêtements usés, mes chaussures à trous, Claire désirait me remettre à neuf. Soit. En d'autres temps, l'idée de pénétrer dans un magasin m'eût déjà mis en colère. Je suivrais Claire en esprit d'humilité. Je ne ferais pas comme certain jour, où furieux d'être mené en guet-apens, chez un chapelier, je trouvai ces chapeaux trop grands et quittait la boutique, ce brave homme me poursuivant en pleine rue et les gens du trottoir ne comprenant rien à la rage de ce Monsieur qu'un autre coiffait de force, tandis qu'une dame s'essoufflait : « Mais il te va bien, ce chapeau... très bien ». Futur novice de la Salpêtrière, je n'aurais pas voulu être ce Monsieur que l'on coiffe de force en pleine rue.

Michette qui aurait pu nous accompagner, préféra rester à la maison, en égoïste. Martin ravala sa peine.

Nous allâmes d'abord chez un papetier. À la Salpêtrière, j'aurais des impressions à noter. Je choisis un carnet, puis un second avec plus de feuillets. Je pris aussi un stylo qui serait enfin « un porte-plume pour moi seul ». Claire traça quelques mots pour l'essayer. Sur le premier cahier, elle écrivit : « Pour un prochain beau livre – Courage ! » Sur l'autre : « Je suis avide de lire ce que tu écriras dans ce petit cahier – Claire. » J'étais ému. Pour ce prochain beau livre, je désirais dix cahiers, cent cahiers :

– Quand les deux seront pleins, dit Claire, je t'en apporterai d'autres.

Les voici. À part les mots de Claire, les feuilles sont blanches.

Ensuite, il fut question d'un costume. Claire me proposa les Grands Boulevards. Non ! je préférais la rue Mouffetard. Pourquoi Paris n'est-il pas tout en rues Mouffetard ? Voilà une rue intelligente ! Les maisons s'y tiennent, autant dire ventre à ventre, en braves gens qui ne veulent pas qu'une auto les dérange. Les habitants sont avenants. On croirait de bons cousins, tous de la même famille, qui ont sorti en commun ce qu'ils possèdent de meilleur, leurs légumes, leurs poissons, leurs fruits, à seule fin de faire plaisir au monde. On m'essaya un veston, deux vestons, autant de vestons qu'on voulut. J'acceptais l'épreuve avec patience. Claire en lorgnait un beau : en velours. Un autre, en tissu, me parut plus simple. Je choisis également des chaussettes, humblement en laine, puis des mouchoirs en couleurs comme en ont les pauvres ou les moines qui s'y frottent le nez brun de tabac.

Comme c'était fête pour nous, Claire m'installa à la terrasse d'un café. Un gâteau se trouva devant moi, je l'avalai sans savoir. J'en mangeai un second qui me donna faim. J'eus peur : ces deux gâteaux ne m'engraisseraient-ils pas ? On emballa le troisième pour Michette l'égoïste qui aurait pu nous suivre.

À la maison, j'endossai en son honneur mon veston. Martin I pensait : « Tu es stupide ». Malgré son humilité, Martin II se montrait de profil et de face pour qu'on le trouvât beau.

– Il est bien, n'est-ce pas Michette ?

– Oui.

Ce oui était trop froid. Je regrettai le veston de velours.

Le lendemain, ce fut dimanche. Le lundi, Delpierre m'emmènerait. Si Claire était absente, Martin I le comprit, elle ne pouvait, à cause de l'argent, manquer son cinéma. Martin II s'inquiéta : « Où donc a passé Claire ? » Après son travail, elle passera une nuit blanche, afin de rentrer tôt. En communion avec elle, il passera une nuit blanche.

Le soir, Michette prépara son café, ses cahiers, ses cigarettes. C'était notre dernière soirée : demain, je serais *in pace*. Je le savais d'avance : elle ne changerait pas pour si peu ses habitudes ; son nez ne ferait pas un pli de moins. Elle l'aurait pu pourtant. J'avais beaucoup de choses à lui dire. Les mots se nouaient dans ma tête, sans parvenir jusqu'à ma langue. J'avais averti Claire :

– Quand je partirai, je ne veux voir que toi.

Michette me dit tout à coup :

– Demain, je serai là. Je t'embrasserai la dernière.

Pourquoi dit-elle cela ? Je roulais des pensées. J'étais gêné. La sonde ? Delpierre avait parlé d'une sonde. Qu'est-ce qu'une sonde ? Comment place-t-on une sonde ? Où ? Devant Michette, il aurait dû se taire. Peut-être en cette dernière soirée se figurait-elle Jean Martin plié, Dieu sait en quelle attitude, pour recevoir cette sonde.

Neuf heures, dix heures, elle ne pensait pas à moi : elle écrivait. Son café, ses cigarettes, son plaisir, ma peine. Elle aimait les gens maigres : j'étais maigre. J'eusse été gras, elle n'eût pas agi autrement ; son nez n'eût pas bougé autrement, ce vilain nez en souvenir du père. N'aurait-elle pas dû aujourd'hui... dû quoi ? Au lieu de cela, elle écrivait : sa pensée allait à Dah, la vilaine Dah, la belle Dah ! Sa plume courait : un mot, encore un mot, je lisais chaque mot. Y avait-il un mot pour moi ? Un mot, encore un mot... Tant pis ! Demain, je serais loin, parmi les moines de la souffrance. Un mot... encore un mot. J'avais moi aussi des lettres à écrire.

À Claire d'abord : « Je l'aimais. Delpierre lui avait dit que j'aimais Michette : il se trompait. J'avais *cru* l'aimer. Il ne fallait pas inquiéter pour si peu cette enfant. Par contre je craignais qu'elle n'imitât un jour la jeune fille au demi-hareng. J'avais seul le droit de jeûner. Il y aurait lieu d'user de force, non de douceur, comme on s'y était pris avec moi. »

En écrivant je retenais les feuillets avec les doigts. Il me parut naturel de les paginer, non au moyen de chiffres, mais « pouce gauche... index gauche... » avec les doigts qui avaient compté les jours de jeûne. Michette, en buvant son café, me regarda par-dessus sa tasse. Plusieurs Martin se combattaient en moi. Martin I qui se jugeait, Martin II qui paginait avec ses doigts pour attirer l'attention de Michette, Martin III qui n'aurait pu agir autrement, Martin IV qui surveillait l'effet de ses bêtises sur Michette. Qu'en pensait-elle ? Sa tasse reposée, elle n'eut plus l'air de me voir.

J'entamais la seconde lettre pour Delpierre, également au sujet de Michette et paginée comme la première. Quand je voulus la relire, des passages étaient en zigzags, pareils à ceux qui allaient à tort et à travers de sa barre. Ailleurs des mots revenaient toujours les mêmes. Tant pis, Delpierre les comprendrait.

Comme je pliais cette lettre, Michette me regarda. Elle baissa les yeux, dès que je levai les miens. Elle aurait dû comprendre que c'était pour elle, à cause d'elle, que je paginais si bêtement mes lettres.

La troisième fut pour le médecin qui me recevrait demain. Comme un Père Abbé de couvent, c'était un saint et savant docteur. Parlant de ses études, un moine un jour m'avait exprimé son dégoût de devoir apprendre les péchés dont il aurait à recevoir la confession. Je n'aurais pas voulu, par les miens, souiller la belle âme du saint et savant docteur. Je ne parlai pas de Michette. Je me confiais à lui. Dix pour la main gauche, sept pour la main droite, le jeûne m'avait purifié pendant dix-sept doigts de jours. Le Christ avait prolongé le sien quarante jours. Pourtant Satan l'avait tenté. Donc, s'il le fallait, je mangerais par esprit d'obéissance – et pour éviter la sonde. J'espérais cependant qu'on m'accorderait un répit de dix-sept autres jours.

À ce passage je me souvins d'une histoire que Delpierre avait chuchotée à Claire. À propos de mes chats, le saint docteur lui avait demandé: «Est-ce que...» en faisant le geste d'un homme qui vide de petits verres. Puis «Est-ce que...» en s'enfonçant dans le bras un doigt comme une aiguille à morphine. Non, monsieur le Docteur, j'avais des vices, mais pas ces vices de brute. Il ne devait pas se méprendre non plus sur l'histoire de Claire et de Jeanne. Entre le sucre et le miel j'avais choisi, non pas usé des deux. Depuis mon jeûne d'ailleurs, j'étais chaste; sauf une fois, plus ou moins, pour des raisons que je lui expliquerais.

Comme cette lettre était pour un docteur, Martin I l'emporta et pagina: 1, 2, 3... à la façon de tout le monde.

Ces lettres sous enveloppe, je dus déranger Michette:

– Veux-tu prendre dans ma bibliothèque deux de mes livres?

Elle me les donna de bonne grâce, mais je le vis à ses yeux: sa pensée était pour Dah. J'écrivis des dédicaces. Je signai: *Jean Martin*. Était-ce bien mon nom? Je le biffai, puis le remis. Après tout, un nom n'avait pas d'importance.

De nouveau Martin IV regarda Michette. Un «oui» un «non» eût sauvé tous les Martins.

– Demain, Michette, je serai *in pace*. Sauve-moi, sauve-toi.

Personne ne répondit. Michette ne songeait qu'à ses lettres; il y avait le piano, le Bouddha, le Beethoven, la chambre et dans cette chambre, tantôt quand je n'y serais plus, Claire pleurerait tout son saoul. Je compris brusquement :

– Ta Michette, ton jeûne, tes lettres, tes dédicaces : tu es fou... Tu veux entrer à la Salpêtrière ; quand tu y seras, on ne te lâchera plus. Tu te jettes dans la gueule du loup.

La gueule du loup ! La gueule du loup !

Avec sa langue, avec ses crocs, je vis s'ouvrir vers moi cette gueule du loup. Je me rejetais en arrière. Je ne voulais pas. Je saisis une croûte pour la mâcher et montrer à la face du monde que je n'étais pas fou.

– Avale... avale donc... avale.

Il y eut une espèce de lutte : Martin I qui voulait avaler cette croûte, Martin II qui se devait de ne pas manger devant Michette, Martin III qui serrait les dents, Martin IV qui rejeta tout en hurlant :

– Michette, sauve-toi, sauve-moi. La gueule du loup !

... Que pouvait pour moi, une Michette, trop jeune, derrière son verre ? Sous sa gaze de l'autre soir, l'étoile brillait. De son nuage le poing sortit. Ah ! oui, j'avais à prendre sur mes épaules tous les péchés du monde. Je me levai ; je passai dans la cuisine, je frottai le parquet, je lavai la vaisselle, fis les besognes où Claire se fût humiliée tout à l'heure. Je chantonnais :

– Ma douce Claire, avec mes péchés, pour moi tes pauvres peines, même les plus humbles.

X

Mon veston, ma valise, mes péchés, ses peines, quand Claire entra, j'étais prêt. Michette dormait, ou ne dormait pas. Je ne m'en inquiétai pas. Je caressai Ami-Chat, dix Ami-Chat. Et Claire ? Pleurait-elle, ne pleurait-elle pas ? Elle m'assit devant une table :

– Tu mangeras un petit croissant.

Ses yeux suppliaient :

– Tu crois ?

Après tout, jusqu'à l'hôpital, un croissant ne m'engraisserait pas. J'avalai le croissant, je bus un bol de lait. Delpierre parut.

La gueule du loup ! la gueule du loup ! Je sautai debout.

– Prenez, Delpierre. Un livre pour vous avec une dédicace. Dites-moi. Je parle à l'ami, pas au médecin. Vous ne croyez pas qu'on me gardera ?

– Quelle idée ! Vous sortirez quand vous voudrez.

– Ah ! quand je...

La gueule du loup ! La gueule du loup ! Aux fous aussi on dit « Vous sortirez, quand vous voudrez » et hap ! à jamais, la gueule du loup ! Je me souvins de mes lettres : « Ne les donne pas... Tu les donneras... Ne les donne pas... »

– Voici Delpierre ! J'ai écrit quelques lettres.

– Bon ! Nous lirons ça... Partons.

– Déjà ?

La gueule du loup ! La gueule du loup ! Avais-je embrassé Claire ? Que me dit Michette ? Pourquoi la concierge me remit-elle une lettre, puisque je me jetais dans la gueule du loup ?

– Prenons un taxi, Delpierre.

– Pourquoi ?

– Un tramway ?

– Pas la peine.

À quoi bon ménager ses jambes quand on se jette dans la gueule du loup ? De sa porte, le boulanger me reconnut. Les manches troussées, il avait des bras en farine. Savait-il que je me jetais dans la gueule du loup ? Le boucher me regarda, puis un peintre avec une toile... Savaient-ils !...

– Dites-moi, Delpierre. Je le demande à l'ami : vous êtes certain que...

– Sans doute. L'internement est une chose grave. On ne s'y décide pas comme cela.

– Ah ! pas comme cela. Alors vous êtes sûr pour moi ?

– Tout à fait.

– Si j'étais fou vous diriez la même chose.

– Mais non... Figurez-vous, j'ai lu une revue...

– Ah ! une revue... Mais vous êtes sûr...

– Absolument. On y citait un cas bizarre...

– Un cas ?... Mais pour le mien, vous êtes...

– Complètement tranquille... Ce malade avait perdu sa personnalité. C'est rare.

– Et happé n'est-ce pas ? par la gueule du loup ?

Il marchait vite. Pourquoi portait-il ma valise ? Dans quelle poche cachait-il mes lettres ? Est-ce la peine de se hâter quand on se jette dans la gueule du loup ?

– Je puis être tranquille ?

– Absolument. Regardez-moi ces braves gens...

Ah ! oui. « À quarante sous, les jolis choux. » Des gens palpaient ces choux. « À vingt sous, les carottes. » Ils achetaient ces carottes. Mais moi, savaient-ils que je me jetais dans la gueule du loup ?

On prit un boulevard, un autre boulevard. Un cinéma, la statue de Jeanne d'Arc, des tramways, des taxis, leur hoquet d'ivrogne et au bout la gueule du loup.

– Dites-moi, Delpierre. L'internement...

– Pas pour vous. Soyez tranquille...

– Croyez-vous que je sois assez pur ?

– Tout à fait, mon ami. Venez : nous entrerons par là.

Si vite. Un mégot traînait par terre sur un ticket comme cendrier. Là-haut, le métro d'où l'on montre du doigt la Salpêtrière. Une place avec des arbres. Trois vieilles sur un banc. Une grille, un voile blanc, une statue :

– C'est Charcot.

– Ah ! Char... Il soignait les fous, les hystériques. Mais moi, vous êtes sûr ?

– Venez par là : la petite porte.

– Pourquoi la petite ? Asseyons-nous. J'aime mieux partir.

– Tenez ici. Passez devant.

– Ah non, Delpierre. Lisez : *Consultations extrêmes*. Extrêmes ! Delpierre... Extrêmes !

– Vous lisez mal : *Consultations externes*.

– Extrêmes, Delpierre. Je ne veux pas... Je ne...

La Bonté qui est douce, quand elle agit pour le bien, porte au bout du bras une poigne qui est forte.

Pincé !

Et tout de suite, ce fut doux. Partie la gueule du loup. « Soyez béni, mon Dieu, qui me recevez en votre Maison. » Je traversai une salle ; des femmes, des enfants attendaient et vraiment ils attendaient, comme des pauvres pour la soupe, à la porte d'un couvent. Le chef de service me reçut, et vraiment, sans un mot, je contemplai cet homme comme le Saint Abbé d'un couvent. On me mena au bain, et si j'y trempai mon corps, si je le frottai, si je fus ému parce qu'on me donna, pour l'essuyer, un drap bien chaud – vraiment je le voulais pur et digne de vivre, parmi les autres, entre les murs de ce couvent.

Sans doute, n'avais-je pas choisi de vêtement assez simple ? On les fourra dans un sac, on m'en prêta d'autres encore plus simples.

Une infirmière arriva. J'en avais aperçu quelques-unes. Celle-ci avait des yeux noirs, de grosses lèvres, une peau de mulâtresse. Autrefois on s'étonnait : « Comment peut-on être Persan ? » Et comment, être à la fois mulâtresse et infirmière ? Je la suivis. Elle ouvrait des grilles et, quand on les avait passées, soigneusement, les refermait. Les cheveux sous son voile lui découvraient la nuque : une jolie nuque, une nuque de femme, presque la nuque de Michette. Je fus honteux, dans ce couvent, de cette idée profane :

– Malgré ton bain, il te reste des souillures.

– Entrez.

Une porte vitrée, une belle salle. Contre ma joue, le chaud d'un poêle. Là-bas une fenêtre, son grillage, un pied d'arbre, des plants d'iris comme dans un jardin. Plus près, une table avec deux messieurs vis-à-vis. Ils étaient chez eux, l'un très gros, sur des coussins, en pyjama de millionnaire, l'autre très maigre, l'air servile : son parasite sans doute. Que venais-je faire dans leur cottage ? Et pourquoi, ce lit tout prêt pour moi ? L'infirmière m'y mena :

– Couchez-vous, si vous voulez.

– Bien.

– Votre valise, vous la placerez là, sous votre lit, sur les barreaux.

– Bien.

– Vos affaires, sur cette petite table.

– Bien.

– Vos vêtements, pliés sur le lit, entre les couvertures et l'alèze.

– Bien.

Je notai ces instructions. Je les suivrais avec scrupule. Mais qu'était-ce cette espèce de drap qu'on appelait « une alèze » ?

– Monsieur est sans doute artiste dramatique ?

Ces mots m'arrivèrent en grosses lettres, comme un titre de journal : ARTISTE DRAMATIQUE.

Le millionnaire me regardait. Martin II pensa : « Qu'est-ce que cela peut te faire ? » Il crut répondre :

– Non, cordonnier.

– Écrivain, répondit Martin I.

– Ah ! Je voyais bien que... Ne restez pas là... Prenez place.

– Je crains de vous déranger.

Ils étaient vraiment trop bons. Le parasite se leva pour me donner une chaise. Le couvert était mis. Quelque chose fumait dans un plat. Le millionnaire sans doute gavait son pique-assiette. Libre à eux ! Quant à moi, puisque le saint docteur ne m'avait pas dit de manger je ne mangerais pas. Je regardai manger les autres. Le millionnaire tenait son pain à deux mains et le rongeait comme un os. Le parasite n'était pas gourmand. Avec sa fourchette, il envoya sa viande dans l'assiette de son hôte qui l'accepta sans façon. Martin II pensa :

– Voilà un millionnaire qui s'engraisse aux dépens de son pique-assiette. Je ne comprends pas ce mystère.

À un moment, j'entendis :

– Quel est donc le malade qui ne veut pas manger ici ?

En effet, où était ce malade ? Je cherchai autour de moi. Ils mangeaient tous. Encore un mystère.

Je retournais vers mon lit. Je n'étais plus au couvent, j'étais à l'hôpital. Depuis des nuits je n'avais plus dormi. Ce serait bon de dormir. On est à l'hôpital pour dormir. Je m'étais demandé : « Comment oserai-je me montrer en chemise ? » Personne ne s'inquiéta que je fusse en chemise. Suivant la règle, je pliai mes vêtements, les glissai sous la mystérieuse alèze. Ils pesaient en paquet sur mes pieds, aussi lourds que mes chats. Ils étaient ces chats. Je n'osai rien dire.

Tiens ! voilà qu'à ma gauche, apparut un lit et

dans ce lit, parmi les oreillers, une figure maigre. Elle se plaignait.

– Mon caberlot ! Ce que j'ai mal au citron.

Pauvre homme ! Que signifiait ce citron ? Je me sentis plein de pitié.

Tiens ! à ma droite, je vis encore un lit et dans ce lit, la tête d'un homme. Je me souvins. L'infirmière, tout à l'heure, avait dit : « Je vous amène un autre petit » et au lieu du petit un grand gars était entré, soutenu sous les bras par deux infirmières. Comme mon voisin au citron, j'aimais ce brave garçon. Ils seraient désormais mes camarades.

Mais d'abord dormir ! Comme je le faisais à la maison, j'amenai mes draps par-dessus la tête et de nouveau je fus au couvent. La mulâtresse survint. Elle n'était pas une femme : elle était la Règle.

– Vous ne pouvez pas cacher votre visage.

– Bien.

Je rabattis un peu mes couvertures, je me glissai plus au fond, sous mes chats. La Règle revint :

– Le bord de votre alèze doit toucher votre drap. On ne peut rien voir de votre couverture.

– Bien.

Drap, alèze, ne pas cacher le visage, cacher la couverture ! Dans un couvent, on ne discute pas la Règle. Je me tins raide. Comment dormir ? J'aurais bougé, caché le visage, déplacé l'alèze, montré la couverture. J'eus un regret vers Claire... Claire ne m'eût pas torturé avec la Règle. Ma bonne Claire, la mère de Michette.

Quelle heure pouvait-il être ? Tantôt je me promenais debout, tantôt je me trouvais mi-couché, le dos dans des oreillers, les yeux vers l'alèze. Les idées me faisaient mal sous le front. J'aurais voulu les bercer en balançant la tête. Il m'aurait fallu, comme à la maison, l'appuyer contre un mur. Je n'avais qu'un lit et ses barreaux de fer. C'est ainsi que je désappris de balancer la tête.

De nouvelles heures passèrent sans doute. Je savais déjà beaucoup de choses. Martin II les ressassait :

– Ton voisin de droite s'appelle Gatien ; celui de gauche, Muller ; le millionnaire, Bèche, Bedge, quelque chose en russe. Son parasite est journaliste et s'appelle Bornet. Quand Claire viendra, tu lui raconteras ces découvertes. Tu présenteras tes camarades. Tu demanderas une pipe pour Muller. À Michette, tu ne diras rien.

À un moment, Muller s'accouda pour se lever. Je me précipitai à son secours. Il marcha seul. Déjà guéri ! Comme on guérit vite à l'hôpital ! À son tour, Gatien rejeta ses couvertures. Il attrapa son pied et le leva pour l'enfoncer, près de l'épaule, dans l'emmanchure de la chemise. Cela n'allait pas.

– Je viens t'aider, Gatien.

– Écoute...

Mon vieux, il avait mal au caberlot et les femmes étaient des léopards.

Je pensai à Michette :

– Bien sûr, Gatien.

De plus en plus j'aimais ce brave homme. Je débordais de bonté. J'aurais voulu en donner à tout le monde : j'avais des cigarettes.

Décidément on mangeait beaucoup en ce couvent. Voilà que de nouveau, on dressait la table : des assiettes, des couverts, un pain le couteau en plein cœur, comme un assassiné. Le millionnaire m'invita :

– Vous dînerez avec nous ?

– Je vous tiendrai compagnie ; quant à dîner, je ne mange jamais.

Une dame à voile blanc surveillait les préparatifs. Elle portait un méchant casaquin, dont le jaune m'agaçait. Comme si je n'avais rien dit, elle me donna une assiette. J'avais entendu son nom. Je m'en servis par politesse :

– Inutile, Mlle Brichard, je ne mange jamais.

Elle me regarda. Ses yeux étaient noirs comme son casaquin était jaune. Quelque chose en sortit qui entra en moi et voulait que je mange.

– Que cela vous plaise ou non, vous mangerez.

– Je vous assure, mademoiselle...

C'était du riz. Pan ! sur mon assiette, une cuillerée. Pan ! une deuxième. Pan ! une troisième. Je sentis que si je mangeais une fois, je mangerais à jamais. Je regardai ailleurs pour ne pas voir ces yeux. Ils étaient les plus forts et voulaient que je mange.

– Allons !

– Soit, mais pas devant vous.

J'allai avec mon assiette sur mon lit. Je tournais le dos. J'avalai un grain : aussitôt j'eus besoin de les avaler tous.

– Voilà, c'est fini.

Je montrai mon assiette vide. Je pleurais de rage. Cet horrible casaquin, je le haïrais toute ma vie.

Quant à Claire, je lui écrirais : « J'ai mangé ! j'ai mangé ! » comme on crie de joie après une dent arrachée.

Je me remis au lit, toujours raide à cause de l'alèze. Delpierre entra :

– Êtes-vous content ?

Je crus lui parler de l'alèze. Déjà je ne le voyais plus.

Une femme nous surveillait. Elle n'était pas brune comme la mulâtresse. On ne pensait pas à sa nuque. Elle semblait douce. Elle allait d'un lit à l'autre. Quand elle approchait, j'attendais son regard et son sourire venait. Je lui donnais le mien. Je pensais :

– C'est mon bon ange. Autrefois, il refusait de m'éveiller. Pourquoi ne me fait-il pas dormir ?

Sans l'alèze, j'aurais été complètement heureux.

On avait allumé un bec de gaz, juste au-dessus de ma tête. Encore à table, le millionnaire et le parasite avaient beaucoup de choses à se dire. Ils chuchotaient. Leurs mots m'arrivaient en lettres toutes petites. Je les comprenais à la loupe :

– Ce pauvre monsieur !... Ce ne sera pas long : il est mûr.

– On ne voile pas la lumière : on veut le surveiller.

Ils parlèrent ensuite d'un espagnol « qu'on avait emmené » parce que, lui aussi, il était mûr. « Pauvre Jean Martin, tu auras ton tour. La gueule du loup... À cause de Michette... Encore s'il n'y avait pas cette alèze ! »

Des gens entraient, sortaient. Je n'avais pas cru que dans un couvent, il y eut un tel va-et-vient.

J'entendais des noms: Mme Bourquet, Mme Baraguin, Mlle Rattisti... Il y eut une histoire de gants qu'on ne retrouvait plus. Ne devais-je pas me lever pour rechercher ces gants? Un petit bonhomme s'était hissé au pied de mon lit. La tête plate il s'accrochait avec de petits bras et se tenait ainsi pour me voir. Les autres lits avaient aussi leur petit bonhomme. Martin I protesta:

– Tu es bête; c'est ta pancarte, avec ton nom.

Martin II s'inquiétait:

– Pourquoi... pourquoi ce petit bonhomme?

Puis il s'intéressa à Gatien qui avait repris son pied et visait son emmanchure. Je savais maintenant: Gatien était malade. Comme on disait: «Il piquait sa crise.» J'essayai une diversion. Je lui tendis des bonbons:

– Que préfères-tu Gatien? Un rouge, un blanc?

– Un rouge.

Il oublia son pied. Voilà! Martin II venait de réussir son premier miracle.

Était-on loin dans la nuit? M. Bèche dans son lit poussait un ronflement de millionnaire. Bornet, dans le sien, fumait sa pipe. Je lui fis un signe pour qu'il pensât à moi. Il ne répondit pas, il n'y voyait plus sans doute, car je me souvins, tantôt il portait des lunettes. Comme il l'avait dit, le gaz m'éclairait en plein. Derrière la porte, en regardant bien, quelque chose de jaune bougeait, se cachait. Le casaquin! On m'épiait. Gare à l'alèze.

L'ange gardien s'était transformé. Il portait un chapeau, un corsage, des gants comme une dame. Son sourire restait d'un ange.

– À demain. Vous devriez dormir.

Un nouvel ange arriva, d'abord en chapeau, puis les cheveux dans un voile. Il sut tout de suite que j'étais là. Il chuchota quelques mots à Bornet. Puis il vint vers moi et mit sur mon front ses mains d'ange... qui étaient des mains de femme.

– Il est minuit, mon bon monsieur. Vous devriez dormir.

Elle était moins jeune que les autres et encore plus douce !

– Oui dormir ! Je n'ose pas, à cause de l'alèze.

– Comment l'alèze ?

– Oui, les bords doivent toucher la couverture.

– Tatata.

Avec des mains de femme, l'ange fit quelques mouvements. L'alèze eut ses bords où elle voulut ; les oreillers furent arrangés ; on ne respecta pas la règle pour les vêtements. Martin I comprit : « Avec sa mentalité de demi-noire, la mulâtresse a été trop stricte. » Martin II aurait baisé ces mains d'ange.

– Chut ! dormez maintenant.

Elle glissa près de mon lit sa chaise. Elle se tint là. C'était doux. Quand elle bougeait, mon ressort sautait un peu. Je glissai les doigts vers son dos. Ils auraient voulu toucher. Ils ne touchaient pas, ils touchaient presque... Elle était là. J'avais la paix. Je pensai à Claire. Je me dis :

– Je n'ai pas pensé à Michette, pas pensé à Michette, pas pen...

De l'eau, encore de l'eau, mouillait mon oreiller, près de mes yeux.

Cinquième Confession

Rouges ? Non, mes yeux ne sont pas rouges. Oui ! elle est venue. Qu'est-ce que cela prouve ? Vous parlez comme Delpierre : « Elle est l'épine de votre guérison ». Une épine serait vite arrachée. Martin y voit clair. Martin a voulu sauver Michette. S'il le pouvait, il la sauverait encore. Il ne le peut plus. Je vous dirai peut-être pourquoi. Quant à l'épine... voyez mes calepins : « Troisième jour. J'aime Claire. » Claire, Monsieur ; pas Michette. Vous ne trouverez que ces mots.

Je ne sais depuis quand je suis ici. Mais j'ai eu le temps de voir et de réfléchir.

Je pense à une promenade. J'avais pris un tramway vers la campagne. À la descente, une brave femme avait établi un jeu : une planche, des ronds noirs, des palets qu'il fallait jeter dessus. On gagnait une assiette. Un bout d'homme se présenta. La dame lui dit : « Tu es trop jeune, mon petit. Tu perdras. Garde tes sous. » Mais le bout d'homme voulait montrer son adresse et comme de juste ses palets tombaient loin des ronds. Alors, sans en avoir l'air, la brave femme les poussait dessus. Et le petit emporta une assiette, plus une fleur d'or qu'on lui piqua dans la boutonnière.

À cause de bien des choses, j'étais de mauvaise humeur et peut-être injuste. Je dis :

– Voilà la bonté de Paris. Seulement il a fallu des kilomètres en tramway.

Sans doute, il est d'autres bontés. Pour moi : une blouse, un tablier, un voile blanc d'infirmière, voilà la Bonté de Paris. S'il lui plaît de porter en plus un casaquin jaune, elle a le droit d'être frileuse : elle est encore la Bonté de Paris.

Je vous dis cela parce que je pense à Michette... Pour que vous compreniez que je n'ai jamais aimé Michette.

Mlle Brichard, j'ai cru longtemps qu'elle m'en voulait. Je la comprends mieux à présent. Quand j'ai ce que vous appelez « une marotte », elle se campe devant moi, avec son doigt : « Monsieur Martin !... Monsieur Martin... » Elle est alors si bonne que si j'avais une corde, je me pendrais pour n'avoir pas eu cette marotte.

Je n'ai plus besoin de corde. La fin avril, n'est-ce pas, c'est bientôt, ou c'est passé. J'avais dit à Michette : « Je n'irai pas jusque-là... »

Elle est venue, elle était seule. Non, monsieur, elle ne vient pas pour moi. Elle vient parce qu'elle s'intéresse à cette petite folle d'Yvonne qui a les yeux de Dah. Elle m'a quitté un instant pour aller voir ces yeux de Dah. Elle avait oublié sa sacoche. Je la guettais depuis longtemps. Je l'ai ouverte. C'est là qu'elle cache le secret des secrets, ses brouillons, ses notes, ses lettres à Dah. À cause de qui suis-je derrière des grilles ? Mieux que personne, elle le sait. Elle aurait pu en écrire un mot pour son compte, ou en parler à Dah. J'ai cherché... Évidemment, je n'ai pas eu le temps de voir tout.

J'en ai vu assez. Ses Dragons, ses aigles, son Pétrarque, son Eurydice. De moi, rien. Ah ! si. Des phrases entières que je lui ai dites quand je voulais la sauver et dont elle se sert pour jouer la savante et se faire aimer mieux de Dah. Dah ! Dah ! Pour le reste, que Jean Martin soit derrière une grille ou n'y soit pas, on le pille et c'est tout.

Tenez, monsieur ! Moi aussi, je m'intéressais à la petite Yvonne. Depuis qu'elles se connaissent, elle me sourit moins souvent. Michette me l'a chipée. Pendant que je suis loin, qui me dit qu'elle n'use pas de mes mots pour prendre à son compte l'affection de mon ami Delpierre ? Elle rêve, maintenant, de devenir infirmière. Eh oui ! elle serait près de Mlle Brichard qui a les yeux noirs de Dah ! Elle m'a volé tout : ma paix, mon silence, ma pensée.

Je vous le demande : que me reste-t-il ? Claire m'a pardonné. Je n'aime pas qu'on me pardonne. Et m'a-t-elle pardonné ? Delpierre ? Avec son front de Beethoven, j'en suis sûr il me méprise. Mes livres ? Je voulais cent cahiers pour mes notes : les deux que j'ai pris, sont vides. Mlle Brichard ? Quand Mlle Brichard quitte son service, je me plante près de la grille où elle passera. Je lui offre quelques roses de mon jardin. Mon Dieu ! cueillir ces roses occupe son malade. Elle fait semblant d'être contente. Que dirait-elle si elle savait qui est le salaud qui lui offre ces roses ?

Pendant que j'attendais Michette, j'ai compris tout cela. Je ne lui en dirai jamais rien. Quand elle est revenue sa sacoche était en ordre. Nous avons parlé de n'importe quoi. Puis je lui ai demandé :

– Pars maintenant.

Comme je le fais toujours, je l'ai accompagnée jusqu'à la porte de mon chalet. Je me suis tenu là. Je l'ai regardée marcher : sa robe, ses talons, sa sacoche où il n'y avait rien pour moi. Au bout de la cour elle s'est retournée pour dire au revoir. À qui ? Je n'aurais pas voulu pleurer. Je suis rentré dans mon jardin. J'ai tourné. J'ai contemplé une mauvaise herbe. Derrière le mur, une voix chantait : la voix d'Yvonne. Bien sûr, Michette lui avait dit :

– Quand je serai partie, tu iras chanter près de son chalet. Ça l'ennuiera.

Cela ne m'ennuyait pas. J'ai entendu ces mots :

– ... est mort et enterré !... est mort et enterré.

Yvonne ne sait pas ce qu'elle chante ; moi j'ai compris. Claire se prétend morte, elle n'est pas enterrée. On n'est vraiment mort qu'enterré... Venez, dans mon jardin, monsieur. J'ai choisi une bonne place. Avec une pierre dans le mur, j'ai creusé ces lettres :

JEAN MARTIN

En dessous j'ai mis

In pace.

Ces mots sont à moi, elle me les avait volés. Autour de mon corps, j'ai semé des cailloux. Ils n'y sont plus. Quand je les ai montrés à Mlle Brichard, elle les a dispersés avec son pied. Elle a fait comme pour une marotte. Elle s'est plantée devant moi. Elle m'a regardé :

– Monsieur Martin !... Monsieur Martin.

Elle a souri. Quand Mlle Brichard sourit monsieur...

André Baillon à la Salpêtrière, avril-juin 1923

« … je garde la tête encore bien affaiblie du voyage que j'ai fait au pays de la fantaisie… » (lettre à Pol Stiévenart, de la Salpêtrière, 31 mai 1923, AML)
« Je voulais bien être enfermé, du moment qu'on laissait la porte ouverte. » (lettre à Marie de Vivier, fin novembre 1930, AML) (doc. AML)

Marie Baillon
(« Jeanne » dans
Un homme si simple)
(doc. AML)

Germaine Lievens
(« Claire ») vers 1920.
(doc. AML)

Ève-Marie Lievens (« Michette »)

dans les années 1920, au jardin du Luxembourg.

(doc. AML)

Le peintre
Henry de Groux et sa fille
Élisabeth (« Dah »).

© Archives Palais du Roure,
Avignon

Préface.

Je connais un savant. Il est chimiste.

Un jour, un petit pois roula par terre hors de son assiette. Ce n'est rien, un petit pois. D'abord [illegible]. Puis il s'inquiéta. Puis il voulut savoir où ce petit pois avait roulé par terre hors de son assiette.

Il se mit à quatre pattes pour chercher sous la table.

- Mon ami que fais-tu là ?

- Je cherche un petit pois.

- Voyons ! Ne te tracasse pas.

- Je veux trouver le petit pois qui a roulé par terre hors de mon assiette.

Sa femme pour lui plaire et ensuite la servante cherchèrent [illegible] le pauvre petit pois roulé par terre hors d'une assiette.

[illegible] quelqu'un accrocha la nappe. De nouveaux petits pois roulèrent par terre hors des assiettes. Le chimiste ne s'en souciait pas. [illegible], il en faisait de la bouillie. Où, [illegible] le premier petit pois roulé par terre hors de son assiette ?

Un savant persistant !

[illegible] il cherche son petit pois.

Peut-être en cherche-t-il plusieurs ?

Peut-être ignore-t-il tous ceux qu'il cherche ?

Première page manuscrite
de la préface d'*Un homme si simple*.
(doc. AML)

« J'ai un ami. Il est chimiste : un beau cerveau de savant. »

Paul Nougé en 1913, élève en biochimie à l'Institut Meurice de Bruxelles.

« [...] je sens que Paris ne vous réserve que des caresses, et je souris un peu de vos pinçons au cœur. La ville féroce qui a tant mangé d'hommes, vous l'avez charmée, mon cher Baillon, elle rentre les griffes et se frotte à vous comme un beau chat. » (lettre de P. Nougé à A. Baillon, 2 août 1920)

(doc. AML)

F. RIEDER & Cie, ÉDITEURS
7, PLACE SAINT-SULPICE, 7 — PARIS-VIe

PROSATEURS FRANÇAIS CONTEMPORAINS

Vient de paraître: **Vient de paraître:**

ANDRÉ BAILLON

UN HOMME SI SIMPLE

Un volume in-16, broché 6.75

Feuillet publicitaire de la maison d'édition Rieder & Cie annonçant, en 1925, la parution d'*Un homme si simple.* (doc. AML)

André Baillon entouré de ses chats
(Marly-le-Roy, été 1925) (doc. AML)

FS III - 180/718

DR ARTHUR SCHNITZLER
WIEN, XVIII, STERNWARTESTRASSE 71.

7.7.1927.

Monsieur,

je vous remercie beaucoup ~~que~~ d'avoir ~~vous avez~~ bien voulu m'envoyer votre dernier livre et je profite de l'occasion pour vous dire que j'ai lu avec le plus grand plaisir et le plus vif interêt votre belle "Histoire d'une Marie". Je vous suis aussi très reconnaissant de vos très aimables paroles au sujet de mes livres et je regrette beaucoup, que vous n'êtes pas capable de les lire en allemand. Pas trop de mes travailles sont traduits et certainement pas tous, qui sont traduits les sont d'une manière tout à fait suffisante. Je pense que la nouvelle traduction de „Mourir" (une autre a paru il y a presque trente ans) et la traduction de „Mademoiselle Else" me paraît bien lisible, et plus que ça.

Je me rejouie bien de lire votre „Homme si simple" les prochains jours, et je vous prie de croire à ma très haute considération et à ma vraie sympathie.

Arthur Schnitzler

Monsieur André Baillon,
Marly le Roi,
France.

Lettre d'Arthur Schnitzler à A. Baillon (7 juillet 1927). Il le remercie de l'envoi d'*Un homme si simple*. « J'ai lu avec le plus grand plaisir et le plus vif intérêt votre belle *Histoire d'une Marie*. » (doc. AML)

ANNEXE

Autographe, diffusé par les éditions Rieder,
à partir de 1925

André Baillon, *Un homme si simple*

Ce livre ne prétend pas être de la littérature. Il apporte humblement quelques pages en plus à l'éternelle histoire de la souffrance humaine. Ainsi que mes autres ouvrages, il est un acte – comme le serait un examen de conscience ou une confession. Comme tel, il a en lui son but et ses intentions. Un homme se cherche et s'exprime. Il est difficile de se trouver et, si l'on se trouve, difficile d'être sincère. D'une confession à l'autre – plus exactement : d'une recherche à l'autre – Jean Martin, mon personnage, se reprend, se désavoue, se contredit, toujours plus proche cependant de l'implacable vérité qui l'attire et qu'il ne soupçonne pas encore. Aux lecteurs de la découvrir.

Les circonstance ont amené Jean Martin à s'analyser devant un psychiatre dans un de ces chalets où l'on isole certains malades à l'Hôpital de la Salpêtrière. On devine quels aveux peuvent jaillir dans ce royaume de l'anxiété, des hallucinations et pour tout dire de la demi-folie, sinon de la folie entière. On pourrait en déduire que son histoire est un peu spéciale. Elle l'est moins qu'on ne le suppose. Certains remous, simplement, ont amené à la surface de la pensée ce qui, chez les autres, se cache… en attendant une lame de fond toujours possible. Peut-être on pensera à Freud, ou aux théories plus récentes des surréalistes ? Traversant les mêmes paysages d'âme, il est possible que nos routes se côtoyent [*sic*] quelquefois : elles ne se sont pas cherchées.

Malgré son sujet, ce livre n'est pas triste. Jean qui rit, Jean qui pleure : il a ces deux visages de la vie. Maints personnages y évoluent : une Claire, musicienne ; un Jean, au virage dangereux de l'automne ; une Michette, sur la piste inquiétante du printemps ; un peintre qui ne dit pas son nom ; une femme qui ne montre guère son visage ; une autre qui porte un voile blanc et un méchant casaquin jaune… Tant d'êtres ne se mêlent pas, sans que jaillissent quelques étincelles de passion. À tout dire, on trouvera une histoire d'amour. On en trouvera peut-être deux, ou trois, et certainement, sinuant du début à la fin, une quatrième à peine visible, pareille à ces eaux souterraines qui ne reflèteront jamais un visage et se perdent, un jour, je ne sais où, inconnues des autres et d'elles-mêmes.

ANDRÉ BAILLON

LECTURE

de Maria Chiara Gnocchi

La Genèse

En 1925, à la sortie d'*Un homme si simple*, André Baillon est un auteur connu tant en France qu'en Belgique. Il a cinquante ans, mais sa renommée est toute récente.

Pourtant, il s'est senti une vocation littéraire dès son jeune âge. Né à Anvers en 1875, il s'est lié, au tournant du siècle, avec le milieu artistique bruxellois de la revue *Le Thyrse*, où paraissent ses premiers contes. En 1903-1904, il fait un premier séjour dans la campagne campinoise avec sa femme, Marie Vanderberghe, dans l'espoir d'achever un manuscrit, *Judith*, qu'il finira par abandonner. Il entre ensuite comme rédacteur au quotidien bruxellois *La Dernière Heure*, puis retourne en Campine, pour s'installer à nouveau à Bruxelles. En 1912, un événement décisif se produit : il s'éprend d'une pianiste, Germaine Lievens, qu'il trouve « plus près de [s]on cerveau » que sa bien « matérielle » Marie. Germaine vit à Ixelles avec une fille de cinq ans, Ève-Marie, qu'elle a eue d'Henry de Groux, mari de sa tante et peintre symboliste apprécié à l'époque. Leur relation tourmentée a duré huit ans : définitivement délaissée,

Germaine a déclaré ne plus vouloir aimer que son enfant. Mais Baillon finit par la conquérir et s'installe chez elle. Durant la Première Guerre mondiale, grâce aux encouragements de Germaine et à une bourse du gouvernement belge qui le dispense de toute activité, Baillon écrit les récits qui deviendront *Histoire d'une Marie*, *En sabots*, *Zonzon Pépette*, *Délires*. Dans l'immédiat après-guerre, l'écrivain est « découvert » presque simultanément par le romancier naturaliste belge Georges Eekhoud (qui édite et préface *Moi quelque part...*, livre qui reparaîtra sous le titre *En sabots*) et par Charles Vildrac, poète et dramaturge français, lequel est en rapports étroits avec Jean-Richard Bloch, directeur d'une collection littéraire chez l'éditeur parisien Rieder & Cie. Entre-temps (depuis 1920), Baillon s'est installé à Paris avec Germaine et sa fille : la Ville-Lumière semble offrir de meilleures chances professionnelles non seulement à l'écrivain et à la pianiste, mais aussi à Ève-Marie, qui veut devenir actrice et s'inscrit aux cours de Jacques Copeau au Vieux-Colombier. Mis en contact avec Bloch, Baillon signe un contrat qui le lie à la maison Rieder : son *Histoire d'une Marie* paraît en 1921 dans la première série de la collection « Prosateurs français contemporains » ; suivent *En sabots* en 1922, *Par fil spécial* en 1924. En 1923 paraît *Zonzon Pépette, fille de Londres*, premier volume d'une collection que Colette vient de créer chez l'éditeur Ferenczi. Le lancement éditorial de Baillon est bien orchestré ; ses livres plaisent à la critique et au public, et se vendent bien.

En 1923, deux événements viennent renforcer la renommée de l'écrivain. Il faut savoir que, depuis son enfance, Baillon est particulièrement fragile des nerfs. Orphelin de père à un mois et de mère à six ans, recueilli par une tante bigote, interne pendant onze ans dans des instituts religieux, il est profondément marqué par l'éducation sévère qu'il reçoit et développe en conséquence toute une série de « scrupules » et de petites manies ; à seize ans il a sa première grave attaque de neurasthénie ; à vingt-deux, trompé et ruiné par sa maîtresse, il tente de se suicider (il réessaiera plusieurs fois avant d'avaler une dose létale de somnifère en 1932). Si les séjours en Campine, positifs pour sa santé, n'aboutissent à aucune production artistique de valeur, la vie parisienne, porteuse de succès littéraires, n'est pas faite pour apaiser ses nerfs. La capitale est bruyante, ses rythmes frénétiques. Pour le « jeune » écrivain, de nombreuses démarches d'auto-promotion s'imposent : Baillon les trouve ennuyeuses. D'autres soucis lui viennent de sa vie privée : sa femme, qu'il avait dans un premier temps invitée vivre avec lui et sa compagne, est rentrée à Bruxelles, d'où elle lui écrit des lettres qui le chagrinent ; Germaine n'a pas trouvé à Paris le succès escompté, et finit par jouer du piano dans les cinémas ; quant à Ève-Marie, elle néglige ses cours et se fait renvoyer. Et puis… et puis elle a grandi. Que se passe-t-il dans la tête de Baillon ? On ne sait pas exactement. Ce qui est sûr, c'est qu'en 1923 l'écrivain traverse une grave crise psychosomatique qui le conduit à refuser la nourriture pendant plusieurs jours de suite. Grâce à un ami médecin qui connaît l'hôpital de la Salpêtrière (lequel était, alors comme aujourd'hui, une polyclinique comprenant *aussi* une section psychiatrique), Baillon y entre une première fois le 16 avril 1923. Coïncidence ou calcul précis ? Le lendemain se réunit le jury du prix de la Renaissance, prix que Baillon avait essayé de décrocher l'année précédente : ce fut un échec dû à sa nationalité belge. En 1923, les choses se sont partiellement arrangées, d'autant plus que le jury comprend deux de ses principaux parrains et défenseurs en France : Pierre Mille et Mme Colette (qui va lancer *Zonzon Pépette*, et donc sa collection, quelques mois plus tard). Cette fois, la candidature de Baillon est liée à *En sabots*, un livre ayant déjà été édité, on s'en souvient, sous le titre de *Moi quelque part...* : le prix officiel ne peut donc lui être décerné. Mais la nouvelle de l'hospitalisation fait son effet : le jury de la Renaissance octroie à l'écrivain belge une prime spéciale de 5 000 francs. Le « scoop » fait le tour des médias : tous les journaux parlent de l'écrivain « fou » et génial, en y joignant la photographie de Baillon à la Salpêtrière (voir le dossier photographique).

En 1925, *Un homme si simple* sort de presse. « Ce livre ne prétend pas être de la littérature », déclare l'auteur dans le prière d'insérer diffusé par les éditions Rieder. Au fil de cinq « confessions » adressées à un médecin de la Salpêtrière, le protagoniste explique les causes de son internement. Des nerfs sensibles, héritage d'une enfance difficile ; les mille soucis de la vie quotidienne ; des amours compliquées ; des sentiments troubles éprouvés vis-à-vis de la fille de sa compagne ; une crise d'anorexie en conséquence... On connaît l'histoire. Lancé deux ans plus tôt, le mythe de l'« écrivain fou » est prêt à repartir, d'autant plus que la plupart des romans de Baillon contiennent d'évidents détails autobiographiques, et que ses lecteurs ont donc l'habitude d'assimiler les protagonistes des œuvres à la personne réelle de leur auteur.

On ne saura sans doute jamais à quel point la crise véritablement vécue par André Baillon correspond à l'histoire racontée dans *Un homme si simple*. Son ami le peintre Pol Stiévenart l'accuse de mise en scène : il aurait recherché l'internement pour recueillir de la documentation pour ses travaux littéraires (c'est presque certainement la cause de sa seconde hospitalisation, en août 1924)[1]. Les lettres que Baillon envoie à sa femme de la Salpêtrière semblent confirmer cette thèse : l'écrivain avoue que « [s]a maladie est tombée au bon moment », et s'informe si ses livres sont bien en vue dans les librairies de Bruxelles. De Germaine, il apprend que Rieder va retirer d'urgence trois mille exemplaires d'*En Sabots :* « On va faire une énorme réclame et des portraits seront dans tous les journaux. Je ne dois pas quitter la maison, parce que les journalistes vont venir »[2]. Quelle que soit la gravité pathologique de la maladie d'André Baillon, sa dimension littéraire n'est pas à négliger. L'auteur l'exploitera à fond : tout en rédigeant *Un homme si simple*, il a conçu le roman qui lui fait suite (*Chalet I*, 1926) ; un personnage mineur de *Chalet I* deviendra, en 1928, le protagoniste du *Perce-oreille du Luxembourg* ; et même s'il a été composé en 1918, *Délires*, volume qui paraît en 1927, profite de la même vague d'intérêt pour son « cas ».

Un homme si simple se vend moins bien qu'*Histoire d'une Marie* et *En sabots*, mais la critique l'accueille de façon généralement positive. Des comptes rendus du texte paraissent dans divers périodiques, en France, en Belgique, en Hollande, et jusqu'en Russie, en Tunisie, en Égypte, aux États-Unis… En France, Roger Martin

1. Cf. Frans DENISSEN, *André Baillon. Le Gigolo d'Irma Idéal*, Bruxelles, Labor (Archives du Futur), 2001, en particulier p. 250-266 et 287.
2. Lettre de G. Lievens à A. Baillon, 17 avril 1923. La correspondance (bilatérale) entre A. Baillon et G. Lievens est conservée aux Archives et Musée de la Littérature de Bruxelles (AML).

du Gard le commente dans *Les Nouvelles Littéraires*; Pierre Sichel dans *La Nouvelle Revue Française*; John Charpentier dans *Le Mercure de France*; André Billy dans *L'Œuvre*; Marcel Fourrier dans *Clarté* (le comité de rédaction de la revue le choisit en juin 1925 comme livre du mois); René Lalou dans *Vient de paraître*; Paul Petitot dans *Germinal*; dans *Le Peuple*, Henry Poulaille écrit un long article où il analyse et ce roman, et tous les précédents. En Belgique, les commentaires se multiplient aussi: outre les interventions du fidèle ami Gaston-Denys Périer, signalons les articles de Georges Rency dans *L'Indépendance Belge* et de Léon Legrave dans *Le Peuple*; en Suisse, René Arcos en parle longuement dans la revue *Coopération*; de l'Autriche, Arthur Schnitzler écrit à Baillon pour le remercier de l'envoi du livre (voir le dossier photographique). Aux articles strictement littéraires s'ajoutent enfin quelques analyses dans des revues médicales: le docteur-écrivain Raymond Mallet, ami de Baillon (il est évoqué dans *Un homme si simple*), cite le «cas» dans *La Presse médicale*; le docteur Voivenel fait de même dans le *Progrès médical* et Lionel Landry dans la *Gazette médicale*.

Publié au milieu de la période la plus féconde de l'auteur, *Un homme si simple* prolonge les narrations précédentes (on y retrouve de nombreux thèmes et personnages d'*En sabots* et *Histoire d'une Marie*), tout en ouvrant ce que l'on a appelé le «cycle de la Salpêtrière», auquel se rattachent *Chalet I* et *Le Perce-oreille du Luxembourg*. L'on trouve également condensés dans *Un homme si simple* les principaux éléments, relatifs à l'enfance du protagoniste, qui seront développés dans *Le Neveu de Mademoiselle Autorité*, *Roseau* et *La Dupe*: la recherche des causes d'un déséquilibre, les legs de l'éducation religieuse reçue, etc. Mais les confessions de Jean Martin font surtout penser au *Pénitent exaspéré*, le premier roman écrit par Baillon (terminé en 1915, il ne verra le jour qu'en 1988), même si les deux récits présentent d'énormes différences, sur le plan stylistique en premier lieu[3].

Confessions : ruses, russismes et rousseauismes

Un homme si simple se compose d'une préface et de cinq macroséquences (de longueur inégale et différemment segmentées) intitulées « confessions ». Le tout est précédé d'une exergue en latin, tirée de la Messe des Morts : *Absolve*. Tant la situation de la « confession » que l'exergue impliquent deux présences majeures : un narrateur et un auditeur-lecteur, c'est-à-dire un narrataire. La texte vit de la tension entre ces deux figures : d'un côté le narrateur monologue, prenant en charge de

3. Les points de convergence entre *Le Pénitent exaspéré* et *Un homme si simple* sont nombreux : dans le premier récit, un jeune homme cherche son idéal ; se retire, pour fuir les bruits et les distractions de la vie citadine, dans un appartement en face du cimetière ; vit diverses expériences artistiques et amoureuses (toutes décevantes), et finit par tuer sa maîtresse, la principale responsable de l'échec de son « Rêve ». Plusieurs thèmes qui ponctuent le texte d'*Un homme si simple* se trouvent déjà en filigrane dans *Le Pénitent exaspéré* ; par exemple, dans le premier chapitre le narrateur se plaint des bruits qui proviennent d'une usine où « des *planches* [...] se déchirent avec de *longs cris de femmes martyrisées* » et où « le *marteau* du menuisier cloue [s]a pensée une pointe d'acier dans le front », et conclut : « Et c'est *toute ma chair qu'ils écorchent*, toute ma haine qui se tord, toute ma rage *tendant le poing* à ces *voleurs* qui m'ont pris mon Rêve, à ces bourreaux qui l'ont tué » (André BAILLON, *La Dupe – Le Pénitent exaspéré*, Bruxelles, Labor (Archives du Futur), 1988, p. 106, je souligne).

surcroît les paroles de son interlocuteur[4]; de l'autre, même si Martin s'adresse ensuite à un autre malade de la Salpêtrière (deuxième confession), puis à un auditeur moins défini, on peut dire que tout le récit s'articule en réponse aux quelques questions initialement posées par le médecin: «qui êtes-vous?», «pourquoi êtes-vous ici?». Ce qui rend la situation plus dynamique, c'est que le narrateur ne se limite pas à répondre, mais demande lui aussi quelque chose: non seulement un *jugement* (médical, éthique, esthétique...), mais une véritable *absolution*. Ce qui suppose une faute, et donc une première appréciation négative, réelle ou supposée, formulée à son égard. Par qui? Seulement par l'interne? Et qui doit finalement accorder cette absolution? Le médecin de la Salpêtrière ou, plus en général, le lecteur? Car si le narrateur (Jean Martin) a affaire à l'interne, M. Lafosse, l'impératif «*absolve*» et la question «faut-il le disculper?» figurent dans les sections liminaires du texte (exergue et préface) qu'assume l'auteur (André Baillon), et s'adressent par conséquent à tous les lecteurs d'*Un homme si simple*[5].

Le mode «repentant» n'est pas nouveau chez Baillon, et il ne trouve pas dans *Le Pénitent exaspéré* son seul précédent. La préface d'*En sabots*, la toute première signée par l'auteur, s'intitule *Mea culpa*[6];

---

4. La situation est clairement définie au début de la première confession où, en quelques mots, le narrateur répète une question visiblement posé par l'*autre*, répond en se nommant et en désignant cet *autre* aussi: «Mon nom? Jean Martin, monsieur l'interne.»

5. Bien qu'il suive la dédicace «À Germaine Lievens», l'*Absolve* ne lui est pas adressé en exclusivité.

6. Il faut aussi savoir que pendant la guerre, alors même que Baillon rédige *Histoire d'une Marie*, *En sabots*, etc., sa compagne écrit un recueil de pensées dédiées à sa fille qu'elle intitule *Felix culpa* et

l'exergue d'*Un homme si simple* implique cette même idée de culpabilité, avec cette différence que l'accent est déplacé du pénitent au confesseur, du narrateur au narrataire, lequel se trouve ainsi chargé d'une grosse responsabilité. D'autant plus que le narrateur cherche à faire de lui, l'auditeur-juge, un auditeur-complice, en prévenant ses commentaires mais surtout en invoquant la clémence pour quelqu'un qui, après tout, est « comme tout le monde ». Non seulement le mode « repentant », mais plus généralement la « confession » semble convenir tout à fait à Baillon, qui l'exploite comme sujet de la narration (dans *Histoire d'une Marie*, *En sabots*, *Délires*, *Le Perce-oreille du Luxembourg*, *Roseau*...) et comme modalité narrative : on pourrait en effet lire son œuvre toute entière comme une suite de « confessions toujours à recommencer », à l'image de celles de Jean Martin.

Mais qui est ce pénitent exaspérant ?

« Mon nom ? » : c'est la question qui ouvre le récit (*Le Perce-oreille du Luxembourg* débute par la même formule). En répondant, le héros commence à se raconter : « Jean Martin, monsieur l'interne. Jean comme tous les Jean ; Martin [...] comme l'ours quand il fait le beau pour une croûte, dans sa fosse au Jardin des Plantes. » Jean et Martin : le *nom* du narrateur est en fait composé par deux *prénoms*, à tel point interchangeables qu'au cours du récit il sera tantôt désigné avec l'un, tantôt avec l'autre. Le personnage se présente donc dès le début sous le signe de la duplicité, qui trouvera sa pleine réalisation dans la dissociation entre Martin I et Martin II, l'un étant le

---

qui sera édité trente ans plus tard sous le titre *L'Heureuse Faute* (Bruxelles, La Renaissance du livre, 1947).

double de l'autre, et même l'*inverse* de l'autre, comme l'image spéculaire des mots « mon nom » semble suggérer dès l'*incipit*.

« Nom de nom de nom ! » (p. 82) : en effet, ces noms méritent l'attention. Jean est un nom « commun » (un nom « simple », si l'on veut) ; comme l'a écrit Ginette Michaux, s'appeler Jean, c'est être « comme tous les Jean », donc « comme tous les *gens* »[7]. Même lorsqu'il évoque son patron, saint Jean l'évangéliste, le protagoniste le définit comme « un fameux bonhomme » (p. 72). Martin aussi, c'est un Saint : notamment celui qui donne la *moitié* de son manteau à un pauvre. Mais Martin est également, par antonomase, le nom de l'ours : l'histoire raconte que, à la chute de l'Ancien régime en Suisse (1798), un général français qui avait supporté les révolutionnaires suisses enleva de la fosse de Berne un ours nommé Martin et le transporta au Jardin des Plantes de Paris, où celui-ci rejoignit les girafes confisquées au Jardin royal d'acclimatation d'Amsterdam. Comme l'ours, le protagoniste d'*Un homme si simple* « grogne » et se présente comme un « mufle »[8]. Comme l'ours Martin, il a été « transplanté » à Paris, où il a du mal à trouver son équilibre ; parvenu enfin à la Salpêtrière (qui se trouve en face du Jardin des Plantes), il finit par se creuser une « fosse » symbolique où il espère (re)trouver la paix.

Que ce soit entre Jean et Martin, Martin I et Martin II, le saint et la bête, le personnage est constamment

---

7. Ginette MICHAUX, « Logique du double dans *Un homme si simple* », dans Daniel LAROCHE (dir.), *André Baillon, le précurseur*, *Textyles*, n. 6, novembre 1989, p. 121-137. Le prénom « Jean » a été choisi par l'auteur au cours de la rédaction du texte : ainsi qu'un premier brouillon le témoigne, le héros s'appelait initialement Louis.
8. Il se compare également à un chien, à un chat, à une poule…

déchiré entre plusieurs appartenances identitaires. Son nom (*si simple* pourtant !) recèle d'autres allusions, dont une saute aux yeux et mérite d'être relevée. À son entrée à l'hôpital, le protagoniste reconnaît la statue du docteur Charcot, l'un des maîtres de Freud, « qui soignait les fous, les hystériques » à la Salpêtrière (p. 165). Il ne mentionne que son nom de famille, mais ses deux prénoms sont connus : il s'appelait, précisément, Jean-Martin. Ainsi, le narrateur revendique le double rôle de malade et de médecin : observé, il entend observer à son tour (cf. aussi p. 25). Et, comme on lira dans *Délires*, « de l'un à l'autre, c'est une guerre éternelle de petites ruses, tantôt cordiales, tantôt féroces, toujours chargées d'intelligence, car si le psychiatre a de la finesse, il n'est pas de malades plus malins, plus éveillés et, pour tout dire, plus subtilement sur leurs gardes que ceux qui se livrent… ou ne se livrent pas à sa direction »[9].

En construisant son récit sous forme de « confessions », Baillon joue sur trois registres différents : le registre religieux, le registre médical, le registre « littéraire » enfin, la confession étant devenue, depuis Rousseau, un véritable (sous-)genre. Comme Rousseau, Martin se raconte pour se justifier, et met en avant le dilemme entre vérité et mensonge, la difficile recherche de la sincérité. Mais si le premier déclare « Je ne suis fait comme aucun de ceux que j'ai vus » et se présente comme le seul pouvant dire vrai sur soi-même, Martin est un « Jean comme tous les gens », qui se cherche et ne se connaît pas (encore) à fond, et qui, surtout, ne sait trouver sa réponse tout seul, d'où l'invocation

9. André BAILLON, *Délires*, Bruxelles, Les Éperonniers, 1981, p. 18-19.

pressante d'un auditeur, co-responsable du verdict final. En ceci, Baillon se rapproche du grand modèle de Rousseau, à savoir saint Augustin, à une différence près : alors que pour celui-ci Dieu reste le seul juge, le narrateur d'*Un homme si simple* demande l'absolution à d'autres mortels, à d'autres (« simples ») gens / Jean. Plus près de notre auteur, il convient enfin de citer Georges Duhamel, auteur de *La Confession de minuit* (1920, le premier volume du cycle *Vie et aventures de Salavin*). Baillon connaissait bien Duhamel – ami de Bloch et de Vildrac, Duhamel compte parmi ses premiers « parrains » en France – et appréciait particulièrement sa *Confession de minuit*, sorte de monologue d'un psychopathe égocentrique et hypersensible, harassé par d'étranges et subtiles obsessions.

Ce serait mal connaître Baillon que de passer à côté de ses illustres modèles russes, dont l'influence fut aussi déterminante pour Duhamel. Admirateur fervent de Tolstoï, Baillon voue un véritable culte à Dostoïevski : comment, dès lors, en lisant *Un homme si simple*, ne pas songer aux *Carnets du sous-sol*, au *Double*, aux *Démons* (le célèbre chapitre de la confession de Stavroguine), à *L'Idiot*[10]... La métaphysique religieuse, le débat entre le Bien et le Mal (dans le monde et dans la conscience humaine) qui nourrissent les œuvres de Dostoïevski, se retrouvent chez Baillon, même si le pathos

---

10. Un mémoire de fin d'études a été écrit sur les convergences entre *Un homme si simple* et *L'Idiot* (cf. choix bibliographique) ; Nancy Delay a mis l'accent sur les convergences entre *Zonzon Pépette* et *Crime et châtiment* (Nancy DELAY, « Baillon, *Zonzon* et les morts vivants », dans *Itinéraires et contacts de culture*, n. 20, *La littérature belge de langue française : au-delà du réel...*, 1995, p. 44-57), mais une étude approfondie des parallélismes entre l'œuvre de Dostoïevski et celle de Baillon reste à faire.

du Russe disparaît à la faveur de drames beaucoup plus personnels, beaucoup plus quotidiens. Les héros de Baillon ressemblent très fort, par ailleurs, à certains personnages de Tolstoï (lequel, rappelons-le, a lui aussi écrit des *Confessions*) : ne pourrait-on pas dire par exemple, en pastichant l'*incipit* de *La Mort d'Ivan Ilitch*, que « L'histoire [de Jean Martin] était des plus simples, des plus ordinaires et des plus atroces »... ?

Enfin, pour ce qui concerne la dimension proprement « pathologique » de l'œuvre de Baillon, l'on peut dire que ce dernier a précocement perçu ce que divers critiques ont théorisé par la suite. Dans son ouvrage intitulé *Autobiographiques*, par exemple, Serge Doubrovsky explique que, de Montaigne à La Rochefoucauld, toute tentative d'autoportrait littéraire s'est heurtée à l'impossibilité de l'auto-connaissance, celle-ci devant nécessairement passer par la reconnaissance de *l'autre*[11]. Or, la séance psychanalytique (la *two-body psychology*) permet de réaliser un compromis entre l'introspection et l'analyse conduite par l'*autre* : Doubrovsky la définit comme une sorte d'« auto-connaissance à deux », ce que Baillon réalise en quelque sorte en donnant la parole à un personnage qui s'analyse « comme si c'était un autre »[12].

Un homme si simple

Nombreux sont ceux qui considèrent *Un homme si simple* comme le chef-d'œuvre de Baillon. C'est un livre

---

11. *Autobiographiques : de Corneille à Sartre*, Paris, PUF (Perspectives critiques), 1980, en particulier « Autobiographie / vérité / psychanalyse », p. 61-79.
12. André BAILLON, *Le Perce-oreille du Luxembourg*, Bruxelles, Labor (Espace Nord), p. 18.

très dense, à facettes multiples, que l'on peut aborder sous différents angles. Par un article publié en 1989, Ginette Michaux a inauguré une (re)lecture psychanalytique du roman et de l'ensemble de l'œuvre de l'auteur ; de nombreux étudiants y ont consacré leur mémoire de fin d'études, à partir de diverses grilles d'analyse [13].

Dans la présente lecture, on voudrait mettre l'accent sur la double valeur spirituelle et littéraire de la « quête de la simplicité » que Jean Martin poursuit en tant que personnage *et* en tant que narrateur. Il s'agira d'une part de cerner, dans toutes ses implications, le concept religieux de la *simplicité* ; d'autre part, de dégager des confessions du héros les prises de position esthétiques de l'auteur, fragments d'une réflexion métanarrative qu'il développe dans l'ensemble de son œuvre.

Ce n'est pas la première fois que Baillon met en scène des personnages « en manque de simplicité ». Le protagoniste d'*En sabots*, qui se présente comme un individu égocentrique, orgueilleux et bavard, s'efforce d'imiter les gens « simples » qui l'entourent, à savoir les villageois campinois et les Frères de l'Abbaye de Westmalle. Également dans *Histoire d'une Marie*, Henry Boulant tente d'être « simple » sans y parvenir (cf. les commentaires répétés : « Hé ! hé ! Henry Boulant, devenir simple est quelquefois très compliqué » et « Henry, Henry, tu n'étais pas simple »). Alors que ces deux personnages ont du mal à se confesser parce qu'ils sont trop « compliqués », dans *Un homme si simple* la quête de la simplicité procède précisément *par* des confessions réitérées.

---

13. Ginette MICHAUX, *art. cit.* Dans les vingt dernières années, vingt-huit mémoires (dont vingt-deux présentés en Belgique) ont été réalisés autour de Baillon ; huit d'entre eux se concentrent sur *Un homme si simple* (cf. le choix bibliographique).

La *simplicité* est un concept fondamental de la spiritualité chrétienne, sur lequel Baillon réfléchit spécialement lors de ses séjours à Westmalle, pendant lesquels il fréquente assidûment l'Abbaye des Frères Trappistes [14]. La vertu de simplicité est présentée dans la Bible comme l'une des qualités primaires de l'israélite pieux (dans l'Ancien Testament) et du bon chrétien (dans le Nouveau Testament). Elle a été abondamment étudiée et commentée dans la littérature théologique et spirituelle, en particulier par les Pères de l'Église, grecs et latins, et par les fondateurs des ordres monastiques [15]. Divers livres de l'Ancien Testament rappellent que les hommes justes sont les hommes qui agissent en « simplicité », en « sincérité », « sans déguisement » (par exemple Jacob, Job, David...). Dans le Psaume 15,1 on déclare que le seul être ayant le droit d'entrer dans le sanctuaire de Dieu et de contempler son visage – ce qui constitue le plus haut degré de communion avec le Très-Haut – est l'homme défini, en hébreu, par le qualificatif *tam*, terme qui a souvent été traduit par « simple ».

---

14. Sa correspondance à Pol Stiévenart (inédite, conservée aux Archives et Musée de la Littérature) permet de suivre de près le parcours de « purification » et de « simplification » qu'il aurait entrepris. Celui-ci comporte : au niveau éthique, un rapprochement avec les mœurs villageoises et avec la vie de la Trappe ; au niveau esthétique, la mise à distance d'une littérature artificielle et déclamatoire, vaine en comparaison avec la « simple profondeur » des récits évangéliques. Significativement, dans les lettres que Baillon écrit de Westmalle, les termes « simple », « simplement », « simplicité » sont constamment associés soit à la vie campagnarde (les villageois, les travaux dans les champs), soit aux Trappistes, et sont en tout cas connotés positivement : l'adjectif « simple » va de pair avec « sain », « pur », « serein ».
15. Cf. *Dictionnaire de spiritualité*, tome XIV, Paris, Beauchesne, 1990, col. 892-921.

Il est intéressant de remarquer qu'en ancien hébreu l'adjectif *tam* signifie « complet, achevé, parfait », mais aussi « entier, intact, intègre ». Quant aux traductions latine et grecque de la Bible, *tam* y est traduit respectivement par *haploûs* et *simplex* (d'où le français « simple »), ce dernier adjectif signifiant littéralement « non plié », par opposition à *duplex* et à *multiplex*. En ce sens, le Créateur est lui-même « simple », puisque complet, puisque parfait, puisque *un*. La *simplicité* se définit ainsi par opposition à la *duplicité* qui est l'œuvre de Satan [16]. L'homme simple correspond à l'homme intègre, « qui n'a qu'un visage », alors que la méchanceté vient de l'homme à deux visages qui voit, entend et parle *double*.

Les évangélistes Matthieu et Luc insistent sur le fait que, pour être pur, l'homme doit avoir un *œil simple* (cf. le Sermon sur la Montagne [17] : « La lampe du corps, c'est l'œil. Si ton œil est sain [*haploûs*, littéralement « simple », « non troublé »], ton corps tout entier sera lumineux », Mt 6,22). Jésus place l'homme devant une alternative : la simplicité qui conduit à la lumière et la duplicité qui conduit aux ténèbres. C'est le même choix qui s'impose entre Dieu et Mammon : l'homme ne peut servir deux maîtres puisqu'il ne peut *se diviser* sans perdre sa pureté, sa rectitude, en un mot sa simplicité (dans l'évangile de Matthieu, ce passage suit immédiatement celui relatif à « l'œil sain »). La division caractérise non pas la foi, mais son inverse, le *doute*. L'âme partagée est portée à l'incrédulité ; la *dipsychia*

16. En grec, Satan – en hébreu « accusateur » – devient *diàbolos*, « calomniateur », mot qui convoie l'idée de division (*dia-ballo*) et qui est à l'origine du français « diable ».

17. Que les leçons « au pied de la Montagne » de Jean Martin imitent et parodient à la fois.

(l'hésitation) s'oppose à l'innocence qui est typique des enfants, ou encore de cette catégorie d'hommes définis *simplices*, où le terme, loin d'être connoté négativement, désigne une absence de culture qui n'empêche nullement une plénitude de foi.

Reprise par Saint Augustin, l'opposition entre « cœur simple » et « cœur double » acquiert une importance cruciale surtout dans le monachisme ancien et médiéval, où la simplicité, en tant qu'engagement total et sincère, va de pair avec l'innocence et la pureté, l'humilité et l'obéissance, la sincérité et la charité, s'opposant à la méchanceté, à la prétention, à la subtilité et à l'hypocrisie. La vertu de simplicité est, significativement, à la base de la plupart des Règles monastiques.

On reconnaîtra facilement dans la recherche de l'intégrité (contre la dispersion, la duplicité qui est le propre du Malin) l'une des questions centrales d'*Un homme si simple*, mise en avant dès la préface, où la crise est générée par l'égarement d'un petit pois, la successive multiplication de celui-ci, l'impossible (re)découverte de l'un dans le multiple. Enfant, Martin trouve *compliqué* ce qui est *simple* pour les autres : non seulement les préceptes religieux à suivre, mais aussi les gestes de tous les jours, qu'il a tendance à décomposer en une série de micro-gestes qu'il compte et décompte, et dans l'enchaînement desquels il finit par s'embrouiller (cf. p. 30-32). La situation empire au fil des années et subit une brusque accélération dès le déménagement du héros en France. D'un côté, depuis son installation à Paris, ses soucis se sont *multipliés*, la capitale portant à une extrême *dispersion* ; de l'autre, ses « fautes » – son égoïsme, son exploitation des sacrifices de Claire, mais surtout l'attraction qu'il éprouve pour Michette – salissent sa conscience, font chanceler son *intégrité* morale et l'empêchent de voir clair en lui. Le récit développe de manière très aiguë l'entrelacement de ces divers facteurs de *désintégration*, dont le résultat est convergent. Ainsi, la Ville-Lumière n'apporte pas le jour divin, mais « crève la vue », ce qui peut être rapporté à l'idée évangélique du péché troublant l'œil limpide de l'homme droit (enfant, Martin baissait les yeux et « marchait en aveugle » pour fuir le péché, cf. p. 31), ou encore à l'automutilation œdipienne, conséquence d'un désir quasi incestueux (cf. aussi *Le Perce-oreille du Luxembourg*, où le protagoniste s'enfonce sans cesse un pouce dans l'œil).

En principe, Jean Martin est venu en France pour se consacrer à *une* chose, la seule qui compte à ses yeux et qui fait l'objet de sa vocation véritable : la littérature[18]. Contrairement à ses attentes, la capitale se présente à lui sous le signe du dédoublement, de la multiplication. Le premier jour à Paris, c'est pour lui une véritable initiation : l'absence d'un ami s'étant prolongée (les minutes à attendre s'étant *multipliés*), Martin est forcé de commander *plusieurs* cafés ; ayant décidé de passer à la poste, il s'égare parce qu'au lieu du pont qu'on lui avait indiqué, il en découvre (au moins) *deux*… La « terrible » leçon lui est prophétisée dans le café où, en attendant, il lit sur la marquise : « *Quoi que l'on dise, quoi que l'on fasse / On est mieux*

18. On se souvient des sœurs de Lazare, Marie et Marthe, citées dans l'évangile de Luc : Jésus reproche à Marthe de se *disperser* en trop de soucis accessoires, qui la distraient de ce qui devrait être sa seule préoccupation, à savoir la contemplation du Christ à laquelle Marie, de sa part, s'abandonne (Lc 10,38-42). Inutile de dire que, de ce point de vue, *Martin* ressemble bien à son homonyme *Marthe*, alors que Marie, comme toutes les Marie, fait preuve de simplicité (cf. aussi note 22).

ici qu'en face » (p. 27). (Le) bien ici, (le) mal en face ; un pont mène au but, l'autre ramène au point de départ, rendant nulle la quête. Autrement dit, rien n'est simple, car tout a une contrepartie négative, deux *faces*, une bonne et une mauvaise, qui se ressemblent et pourtant diffèrent. L'image spéculaire inaugurale, « mon nom », réapparaît, et cligne de l'œil à Jean et à Martin, à Martin I et à Martin II, au saint et à la bête…

Côté famille, l'esprit du protagoniste, qui se voudrait *simple*, se *partage* (se *déplie*) en faveur de plusieurs femmes (en racontant son attachement à Jeanne et à Claire, il parle de « déchirement » et il se dit « écartelé »). Il est en outre affaibli dans son double rôle de père (adoptif) et d'artiste par la présence écrasante d'un *autre :* le vrai père de Michette, que Claire n'a pas oublié [19], et qui est de surcroît un peintre célèbre. Celui-ci est à son tour *doublé* par sa fille légitime, Dah, à laquelle Michette voue une affection exaspérée. Martin est jaloux des attentions de Michette pour Dah (il se voudrait son seul modèle, tant sur le plan éthique que sur le plan artistique), et inquiet quant aux effets de son influence. Quand l'attraction physique pour la jeune fille s'y ajoute, c'est la débâcle totale, la pensée de Michette l'éloignant à la fois de Claire et de son travail, et provoquant des effets désastreux sur sa personnalité. Hanté par le spectre de la *mutilation* (qui brise l'*intégrité*) [20], il finit par céder

---

19. Alors qu'elle cohabite déjà avec Baillon, Germaine Lievens écrit dans *L'Heureuse Faute*, l'ouvrage dédié à sa fille : « Je pense à ton père comme à un luxe ! / Son amour me faisait scintiller comme une madone ! / […] Je pense à ton père comme à un portique. / Portique sacré où le vrai Dieu habite » (Germaine LIEVENS, *op. cit.*, p. 18-19).
20. Ce thème sera largement développé dans *Le Perce-oreille du Luxembourg*.

au *dédoublement* et à la *dispersion* : il se partage en Martin I, II, puis III et IV, et à son image il voit se multiplier ses chats, le docteur, etc. Les comportements ambigus de la jeune fille sont pour lui une ultérieure source d'angoisse : « Je désirais un oui, un non. Elle ne disait ni oui, ni non » (p. 100)[21]. Ébranlé par le doute, il invoque « un simple mot » (un mot *simple* au sens biblique : une réponse qui dissipe toute hésitation), « un simple "oui" » en mesure de le « sauver »[22]. Non seulement le héros n'obtiendra jamais cette réponse (la parole d'autrui ne viendra jamais combler son vide), mais il se verra privé, en plus, de ses propres mots, de ses propres phrases.

Côté travail, toute tentative d'écriture semble vouée à l'échec par manque de *concentration* (qui est l'inverse même de la *dispersion*). Ainsi, Martin s'installe initialement dans une chambre qui semble lui convenir, mais qui fait partie d'un immeuble qui compte « soixante appartements, ce qui signifie autant de fenêtres multipliées par trois » (p. 38). Assailli par des distractions de toutes sortes, il voit partout les effets d'une prolifération générale : il lui semble que son voisin se dédouble, son gros ventre apparaissant dans le cadre de *deux* fenêtres ; les voitures semblent se reproduire dans la rue : « J'en verrais une, j'en verrais dix, j'en verrais cent » (p. 41). Éreinté par cette dispersion systématique, il convoite le recueillement, l'*unité* : « une chambre pour

21. Cf. aussi les paroles de Jésus dans l'évangile de Matthieu : « Que votre langage soit : "Oui ? oui", "Non ? non" : ce qu'on dit de plus vient du Mauvais » (Mt 5,37).

22. En tant qu'acceptation totale, le « oui » est une réponse *simple* (cf. le « oui » de la Vierge Marie, qui est l'un des personnages les plus « simples » du monde chrétien ; cf. aussi les nombreux « oui » de Marie dans *Histoire d'une Marie*).

moi seul, un porte-plume pour moi seul, une table pour moi seul, et, alentour, quinze kilomètres de silence » (p. 25). Bien qu'elle-même dotée d'une *double face* (couvent paradisiaque d'une part, « gueule du loup » infernale de l'autre), la Salpêtrière saura satisfaire presque toutes ces conditions.

Même au niveau du texte, la recherche de la simplicité s'articule comme une tension désespérée vers l'unité et la complétude. Jean Martin voudrait « tout dire », mais s'il recommence constamment ses confessions, c'est qu'elles ne sont pas intégrales. Ses phrases restent parfois en suspens : le plus souvent, ce sont les formules tripartites, « parfaites » par définition, qui restent inachevées (cf. p. 14 : « Prix d'excellence, prix de sagesse, prix de... », p. 59 : « Il ressemblerait au père, il aurait les talents du père, il... », etc.) ; ailleurs, elles s'enchaînent à partir d'une matrice commune et se reproduisent sans jamais arriver à une conclusion véritable (cf. la série des « Ou bien... » des p. 81-82). Les mots eux-mêmes ont tendance à se décomposer et à générer de nouvelles chaînes signifiantes (le « Chauffeton » de la p. 49 annonce déjà l'« ardent lévier » de *Délires*).

Dans *Un homme si simple* se trouve ainsi esquissée la réflexion que Baillon développera de manière plus systématique (et davantage liée à l'acte d'écriture) dans *Délires* et dans *Le Perce-oreille du Luxembourg*. Dans ce dernier récit, Baillon met sur pied une véritable théorie de la communication (sa « théorie sur les mots ») qui se fonde sur une idée de base : idéalement, les mots « enferment » les idées en préservant leur unité ; en réalité, ils participent à un processus communicatif dans lequel le sens se disperse (tout échange étant dominé par le *vol*), ce qui fait que la plénitude de la parole originaire dégénère inévitablement dans la « catastrophe de la dissémination »[23].

Mémoires d'outre-tombe

Venu en France pour améliorer sa situation, Jean Martin découvre bientôt qu'à Paris non plus, rien n'est simple : la Ville-Lumière possède, elle aussi, un double visage, et ne tarde pas à lui montrer son côté le plus sombre. « Bien ici, mal en face » : en face du café, c'était la morgue ; le côté sombre de Paris, c'est la *mort*. Son spectre est omniprésent dans *Un homme si simple* (« Comment des gens peuvent-ils naître, vivre, mourir à Paris ? Mourir, ah ! cela oui », p. 27). Le protagoniste a l'impression de tuer les personnes qui l'entourent : d'abord Jeanne, ensuite Claire (« Après l'autre je l'avais tuée », p. 55) ; il songe aux funérailles de son voisin italien, puis souhaite la mort d'une voisine qui avait menacé de tuer son chat (elle finira en effet par mourir) ; quant à lui, il voudrait se pendre, et prévoit de ne pas atteindre son quarante-huitième anniversaire. Si ce n'est la mort elle-même qui le hante, ce sont les péchés mortels qu'il craint commettre, la fornication en premier lieu, que ses chats lui rappellent à tout instant, et à laquelle tout semble renvoyer (la porte de l'armoire hurle comme une femme violée, et la seule idée de *pénétrer* dans le magasin du cordonnier est source d'inquiétudes).

23. Cf. Geneviève HAUZEUR, « La parole volée : une "théorie sur les mots" dans *Le Perce-oreille du Luxembourg* d'André Baillon », dans *Textyles*, n. 15, *L'Institution littéraire*, 1998, p. 195-202.

Alors qu'il espérait trouver à Paris le succès pour lui et pour sa compagne, il fait dans la capitale l'expérience de la *mort de l'art*. Il faut dire que, s'il a provoqué la mort symbolique de certaines personnes, cela a été dans le but de faire s'épanouir son propre talent littéraire : il a délaissé une Jeanne trop matérielle pour le « cerveau » d'une Claire artiste qui, à son tour, se fatigue « à mort » pour son idéal à lui. Pour permettre à son compagnon d'écrire, Claire accepte des tâches alimentaires qui « tuent » son art : elle finit par descendre dans une « fosse » au cinéma, et son piano reste fermé « pour cause de décès » (cf. p. 69). Ici, le narrateur ne joue pas seulement sur une expression figée : il suggère que la véritable mort de Claire, c'est le sacrifice de son art (le piano représentant le cercueil) en faveur de l'épanouissement de ses deux « enfants » qui veulent l'un écrire, l'autre être peintre, poète, actrice, etc.

Bref, à cause de ses « fautes », Martin se trouve plongé dans une espèce de purgatoire, où la mort lui montre incessamment son visage sans jamais lui donner le coup de grâce : ce qu'il désire dès lors, c'est la rémission des péchés et le soulagement final, la *paix* (« PAX : deux lettres et deux os en croix sur une tête de mort »)[24].

S'il demande d'être admis à la Salpêtrière, c'est précisément « pour avoir la paix » (p. 13), autour et en lui. L'hôpital est lui aussi un lieu de mort, mais de cette mort intensément désirée qui apporte l'apaisement (« C'est là que je finirai : *in pace* », p. 154). Martin y accède comme au Mont des souffrances, juste avant l'expiation totale qui donnera droit à l'absolution

24. *Délires*, *op. cit.*, p. 63.

demandée en ouverture du texte. Dans *Chalet I*, il avoue vouloir faire une « retraite » à la Salpêtrière pour se laver « des pensées qui ont éclaboussé [s]on ingénuité » : ce sera un « temps d'épreuve, de purification et de mortification » [25] (Ginette Michaux a noté que la cérémonie de la confession religieuse prévoit précisément que l'expiation du péché passe par la mortification, la mort symbolique de l'homme ancien étant nécessaire pour que l'homme « renaisse », purifié du péché par la grâce de Dieu) [26]. Dans *Un homme si simple* aussi, l'hôpital est assimilé à un couvent, peuplé de gens « simples » et de « saints docteurs », suivant tous une stricte Règle (cf. p. 167 *sqq.*). Avant d'y être admis, le « novice » veut se purifier de toute souillure : il jeûne, il se fait laver, il accepte des habits simples, quasi monacaux. Ainsi paré, il peut descendre parmi les « humbles », les « simples » (p. 154), les... morts. Significativement, à l'hôpital le personnage se voit attribuer le chalet où un malade vient de décéder, et les médecins qui s'occupent de lui s'appellent Lafosse (on se souvient de Jan le fossoyeur, dans *Le Pénitent exaspéré*) et Delpierre, ces deux noms prenant tout leur sens au moment où, à la fin du livre, le malade se crée une *fosse* symbolique, en semant des *cailloux* autour de son corps et en creusant dans le mur, avec une *pierre*, son nom suivi de *In pace*. Pour mettre fin aux supplices mortifères endurés jusqu'ici, (l'ours) Martin se crée lui-même une « fosse » qui lui convient [27].

---

25. *Chalet I*, *op. cit.*, p. 9. En exergue de ce récit, Baillon a placé une autre formule religieuse en latin : « ... *et mundabor !* », qui signifie « ... et je serai purifié ! » (cf. les notes au texte par Laurent Demoulin, *op. cit.*, p. 218).
26. Ginette Michaux, *art. cit.*, p. 134.
27. Dans la première version manuscrite du texte, le mot « cage » sub-

Mais la « fin » définitive ne survient toujours pas : la mort elle-même garde une dimension purement littéraire : à défaut de pouvoir se creuser une tombe véritable, le personnage creuse des *lettres* qui *signifient* sa mort ; son écriture, dont la disposition typographique *mime* une pierre tombale[28], *représente*, c'est-à-dire *met en scène* sa mort. Or, pour ce « spectacle », Martin a besoin de spectateurs (tout comme, dans sa qualité de narrateur, il invoque sans cesse ses auditeurs) : son œuvre accomplie, il appelle l'infirmière, Mlle Brichard. Qui, par un coup de pied, éparpille les pierres, lui rappelant la vanité (la non-vérité) de cette mort. L'œuvre n'est pas accomplie, l'unité n'est pas conquise : de nouveau, la *dispersion* règne, les cailloux de cette scène finale renvoyant à la situation initiale, c'est-à-dire aux petits pois répandus de la préface.

A portrait of the artist

Un homme si simple est l'histoire d'une vie et, en même temps, l'histoire d'une vocation artistique. Tous

---

stitue, au début de la première confession, le mot « fosse ». L'image de la cage rappelle de plus près le « chalet » du héros, à savoir un isoloir pour malades psychiques instables, mais le choix de cet autre terme permet à Baillon de jouer sur ses multiples sens : la fosse de l'ours au Jardin des Plantes, la fosse de Claire au cinéma, la fosse mortuaire à la fin du livre.

28. Dans l'esprit de Baillon, les mots de la dernière page d'*Un homme si simple* auraient dû être disposés en forme d'une pierre tombale, comme une espèce de calligramme. En corrigeant les dernières épreuves du récit, qui ne tiennent pas compte de ce projet, il cercle au crayon la section concernée et note : « J'espère qu'on améliorera cette mise en page. »

les personnages de l'entourage familial de Jean Martin sont des artistes ou voudraient l'être : le protagoniste définit son propre rôle d'écrivain par rapport à ceux-ci et, en particulier, par opposition au modèle incarné par le père de Michette et par sa fille Dah. Entre les deux « factions » aura lieu une véritable lutte, dont l'enjeu principal (du moins aux yeux de Martin) est représenté par la conquête de Michette. En réalité, Martin souffre de la confrontation permanente entre son propre style et celui de son rival numéro un, si bien qu'il indique comme l'une des principales « épingles » qui mènent à la Salpêtrière le fait que Claire compare ses « petites phrases », ses « bonhommes sans prestige » aux Titans, César, Napoléon de l'*autre* (cf. p. 56 et 111)[29]. Inutile de dire que, à l'image de son éthique, l'esthétique du narrateur est construite autour d'un maître-mot : la *simplicité*.

Égoïste, nerveuse, velléitaire... par tant de traits, Michette ressemble à Martin (artiste sans conviction, elle se veut paysanne, puis carmélite, et pour finir elle songe au suicide). Mais ses goûts artistiques penchent de l'autre côté : elle est fascinée par les excès, le pathos, les héros mis en scène par son père (« des sujets d'envergure, une inspiration de visionnaire », p. 52) ; son admiration est

29. Même en dehors de l'univers artistique, Martin se sent écrasé par la figure du peintre : il est le premier amour de Claire (qui vénère encore sinon l'homme, du moins son œuvre) et le vrai père de Michette, qui ne lui laisse qu'un rôle ambigu d'« intrus » ou tout au plus de « Grand Frère » (où les majuscules essaient de pallier une inexorable infériorité). Génie, géniteur, le peintre est assimilé au Dieu Créateur et Père : « génial » et « divin », il « se révèle » par sa « parole » (ses lettres, ses télégrammes) ou encore à travers son œuvre (pour ce qui concerne les implications psychiques des dynamiques entre le sujet et l'« autre », nous renvoyons aux études de Ginette Michaux et Geneviève Hauzeur, cf. choix bibliographique).

encore plus poussée vis-à-vis de sa sœur, laquelle lui écrit des vers en latin, lui cite Dante et Platon, l'initie à Wagner et, hautaine, lui enseigne que « l'aigle ne prend pas de mouches ». Tout, chez Dah, est *grand* : ses lettres, sa graphie, mais aussi son attitude, ses mots, ses images : « Quand elle donnait sa langue au chat, elle "la jetait en pâture aux dragons de l'Apocalypse" » (p. 72). Martin, écrivain en pantoufles et sans faux-col, est tout à l'opposé de Dah (mieux : il a délaissé cette « manière », qu'il avait épousée dans sa jeunesse) : « [s]es personnages sont des gens [des *Jean !*] de tous les jours », qui agissent suivant leur cœur ; au lieu de fourrer dans son texte des « trouvailles de dictionnaire » en latin, il écrit dans une langue sobre et essentielle. Son attitude, ses sujets, son style : tout, chez lui, est *simple*.

C'est presque un « Art poétique » que l'on lit dans *Un homme si simple*, par lequel s'exprime non seulement Jean Martin, mais aussi André Baillon (voir la page 31, où il semble condenser son *Traité de littérature*). Nous l'avons dit : il est difficile d'établir à quel point le narrateur « ressemble » à l'auteur mais, sûrement, ils inclinent vers le même style, vers les mêmes choix narratifs. Ainsi, Baillon inscrit dans son récit un morceau de sa « théorie sur les mots », cette vaste réflexion métanarrative qui constitue l'un des fils rouges de son œuvre. Il n'a pas besoin de se répandre en commentaires : ce n'est pas seulement Martin, c'est son texte qui parle pour lui.

Exercices de style

Qui dit simple ne dit pas banal, surtout lorsqu'il s'agit de style et d'écriture. La construction narrative d'*Un homme si simple*, en l'occurrence, n'a rien d'ordinaire. Les cinq confessions qui composent le texte ne sont pas « consécutives » : elles ne suivent ni une stricte logique, ni une chronologie rigoureuse (plus ou moins respectée seulement à l'intérieur de chaque microséquence). Le mouvement qui les sous-tend est à la fois de retour (en arrière : la recherche, dans le passé, des « épingles » qui ont conduit à la situation présente) et circulaire, ou mieux spiralaire, dans la mesure où le narrateur revient toujours sur les mêmes faits, mais en poussant toujours plus en profondeur l'analyse, l'écorchement ; en s'arrachant, à chaque fois, un nouveau « rouge morceau de vérité ». C'est une esthétique qui invite à une *lecture non linéaire* du texte : il en sera de même dans *Délires*, où le narrateur confesse sa prédilection pour les lecteurs qui lisent la préface en dernier, et dit savoir parfaitement où il veut en venir, tout en ignorant « par quelle voie ». Cela n'est pas sans rappeler le narrateur du *Perce-oreille du Luxembourg*, qui revient sur son passé par va-et-vient répétés, « comme en promenade quand on a perdu sa canne, revenir en arrière, fouiller les buissons et, de niaiseries en niaiseries, refaire ses pas, chercher »[30]. C'est le battement d'un cœur qu'il faut suivre, non pas le tic tac d'une montre, sans oublier que « quand les réveils se changent en cœur, les heures ont bien le droit de marcher à rebours des cadrans » (p. 135).

Cette méthode permet à Baillon d'écrire trois textes à partir d'une même matière : *Un homme si simple*, *Chalet I* et *Le Perce-oreille du Luxembourg* racontent, en définitive, une même histoire (les crises obsessionnelles,

---

30. André BAILLON, *Le Perce-oreille du Luxembourg*, *op. cit.*, p. 14 ; cf. aussi la lecture de Daniel LAROCHE, p. 209 en particulier.

l'expérience de la Salpêtrière) selon trois techniques narratives radicalement différentes. *Chalet I*, bien que composé en même temps qu'*Un homme si simple* et conçu comme la suite de cette histoire[31], se lit autrement. À l'intériorisation extrême d'*Un homme si simple*, aux longs monologues de Jean Martin, à ses confessions spiralées et pour ainsi dire *égoconcentriques* fait suite, dans *Chalet I*, une mosaïque de petits tableaux qui rappellent ceux d'*En sabots*, tournés à l'extérieur et ouverts vers toute une série de personnages secondaires (« le "Je" s'efface et le "Nous" se révèle », *Chalet I*, p. 45) ; les spirales d'*Un homme si simple* s'y trouvent en quelque sorte déployées à l'horizontale et coupées en morceaux. La troisième étape, ce sera *Le Perce-oreille du Luxembourg*, où l'auteur crée une nouvelle histoire à partir d'un personnage secondaire (c'est le même rapport qui lie *Zonzon Pépette* à *Histoire d'une Marie*) et construit un véritable roman, avec son intrigue, son système de correspondances et d'échos, un nouvel équilibre entre narrateur protagoniste et personnages secondaires. En reprenant une expression de l'auteur lui-même, on peut conclure : « leçon de style »[32].

---

31. Baillon avait initialement prévu un seul récit : dans un premier brouillon manuscrit on peut encore lire, entremêlés, des passages que l'auteur répartira ensuite dans les deux volumes.
32. Id., *En sabots*, Toulouse, L'Éther vague, 1987, p. 85.

CHOIX BIBLIOGRAPHIQUE

OUVRAGES D'ANDRÉ BAILLON
(nous indiquons, pour chaque volume, la première et la dernière éditions)

- *Moi quelque part...*, Bruxelles, La Soupente, 1920, préface de Georges Eekhoud. Rééd. Bruxelles, Lady Schöne, 1999 (édition bibliophilique avec dessins originaux de Jean-Yves Magnay).
- *En sabots*, Paris, Rieder (Prosateurs français contemporains), 1922. Rééd. Toulouse, L'Éther vague, 1987.
- *Histoire d'une Marie*, Paris, Rieder (Prosateurs français contemporains), 1921, préface de Charles Vildrac. Rééd. Bruxelles, Labor (Espace Nord, vol. 118), 1997, lecture de Pierre Schoentjes.
- *Zonzon Pépette, fille de Londres*, Paris, Ferenczi (Colette), 1923. Rééd. Bruxelles, Les Éperonniers (Passé Présent, vol. 14), 1979, préface de Maud Frère.
- *Par fil spécial. Carnet d'un secrétaire de rédaction*, Paris, Rieder (Prosateurs français contemporains), 1924. Rééd. Bruxelles, Labor-RTBF éditions (Espace Nord, vol. 102), 1995, préface de René Haquin, lecture de Michel Grodent.
- *Un homme si simple*, Paris, Rieder (Prosateurs français contemporains), 1925. Rééd. Bruxelles, Les Éperonniers (Passé Présent, vol. 1), 1975, préface de Marie de Vivier.
- *Le Pot de fleur*, Anvers, éd. Lumière, 1925 (édition de luxe, avec bois gravés de Jan Fr. Cantré).
- *Chalet I*, Paris, Rieder (Prosateurs français contemporains), 1926. Rééd. Bruxelles, Labor (Espace Nord, vol. 168), 2001, lecture de Laurent Demoulin.
- *Délires*, Paris, La Jeune Parque, 1927. Rééd. Bruxelles, Les Éperonniers (Passé Présent, vol. 30), 1981, préface de Frans De Haes.

• *Le Perce-oreille du Luxembourg*, Paris, Rieder (Prosateurs français contemporains), 1928. Rééd. Bruxelles, Labor (Espace Nord, vol. 12), 1984, préface de Michel Gheude, lecture de Daniel Laroche.
• *La vie est quotidienne*, Paris, Rieder (Prosateurs français contemporains), 1929.
• *Le Neveu de Mademoiselle Autorité*, Paris, Rieder (Prosateurs français contemporains), 1930.
• *Roseau*, Paris, Rieder (Prosateurs français contemporains), 1932. Rééd. Bruxelles, Le Cri, 2001, préface de Maria Chiara Gnocchi.
• *Pommes de pin*, Bruxelles, Les Amis de l'Institut supérieur des Arts décoratifs, 1933.
• *La Dupe*, Bruxelles, La Renaissance du Livre, 1944, avant-propos de Roger de Lannay. Rééd. suivie de *Le Pénitent exaspéré*, texte établi et commenté par Raymond Trousson, Bruxelles, Labor (Archives du Futur), 1988.
• *Traité de littérature*, Bruxelles, Lady Schöne, 1999 (édition bibliophilique avec huit illustrations de Jean-Yves Magnay).

TRAVAUX CRITIQUES :

• ARON Paul, DUPONT Didier, ROSIER Jean-Marie, « *Histoire d'une Marie*, roman de la modernité », dans Hans Joachim Lope (éd.), *Aufsätze zur Literaturgeschichte in Frankreich, Belgien und Spanien*, Frankfurt/M etc., Peter Lang, 1985, p. 93-121.
• DE HAES Frans, « La mort est un mot. Deux paragraphes sur André Baillon », dans *Filigranes*, n. 4, mars 1978, p. 63-68.
• DELAY Nancy, « Baillon et les actes de libération », dans *Belœil*, n. 5, *Jeux de langue, jeux d'écriture*, 1995, p. 67-98.
• DELAY Nancy, « Baillon, *Zonzon* et les morts vivants », dans *Itinéraires et contacts de culture*, n. 20, *La littéra-*

ture belge de langue française : au-delà du réel…, 1995, p. 44-57.
- DENISSEN Frans, *André Baillon. Le Gigolo d'Irma Idéal*, Bruxelles, Labor (Archives du Futur), 2001 (éd. or. *De Gigolo van Irma Ideaal. André Baillon, of een geschreven leven*, Amsterdam, Prometheus, 1998).
- GNOCCHI Maria Chiara, « *En sabots* d'André Baillon : pour une stylistique du silence », *Textyles*, n. 17-18, *La peinture (d)écrite*, 2000, p. 151-157.
- GNOCCHI Maria Chiara, « Mort est "un" mot. Esquisse d'une analyse stylistique d'André Baillon », dans Hans-Joachim Lope, Anne Neuschäfer, Marc Quaghebeur (éd.), *Les Lettres belges au présent*, Actes du Congrès des Romanistes allemands (Université d'Osnabrück, 27-30 septembre 1999), Frankfurt/M etc., Peter Lang, « Studien und Dokumente zur Geschichte des Romanischen Literaturen », Band 44, 2001, p. 37-50.
- HAUZEUR Geneviève, « La parole volée : une "théorie sur les mots" dans *Le Perce-oreille du Luxembourg* d'André Baillon », dans *Textyles*, n. 15, *L'Institution littéraire*, 1998, p. 195-202.
- HAUZEUR Geneviève, « Les préfaces d'André Baillon : le lecteur au lieu de l'autre », dans *Francofonía*, n. 10, 2001, p. 79-104.
- LAROCHE Daniel (dir.), *André Baillon, le précurseur*, *Textyles*, n. 6, novembre 1989, en particulier sur *Un homme si simple* : MICHAUX Ginette, « Logique du double dans *Un homme si simple* », p. 121-137.

MÉMOIRES DE FIN D'ÉTUDES consacrés à *Un homme si simple* (par ordre chronologique) :

- NOËL Bernard, *La dérivation métaphorique dans* Un homme si simple, *d'André Baillon* (UCL, 1987)
- BREGENTZER Laurence, *Folie et répétition dans* Un homme si simple *d'André Baillon* (ULB, 1988)

- DENTSIKAS Dimitrios, *André Baillon,* Un homme si simple. *Une écriture de l'obscurité* (Paris IV-Sorbonne, 1991)
- RUBIN Noemi, *Le thème du double à travers* L'Idiot *(Dostoïevski) et* Un homme si simple *(André Baillon)* (UIA, 1993)
- CAEYMAEX Charlotte, *Trois romans d'André Baillon en classe de français :* En sabots, Histoire d'une Marie *et* Un homme si simple (UCL, 1995)
- DOZIN Florence, *L'idéal de transparence chez André Baillon. Analyse des romans* Histoire d'une Marie, En sabots *et* Un homme si simple (UCL, 1996)
- JONET Marie-Laure, *André Baillon,* Un homme si simple : *une spiritualité inscrite dans la tension identitaire* (UCL, 1997)
- DELCOURT Régis, *L'ironie dans l'œuvre d'André Baillon : analyse d'*Un homme si simple (UCL, 2000)

ÉLÉMENTS BIO-BIBLIOGRAPHIQUES

1875 Naissance d'André Baillon, à Anvers le 27 avril. Le 27 mai, décès de son père.

1881 Le 31 octobre, décès de sa mère. André et son frère aîné Julien sont recueillis à Termonde par leur grand-père et leur tante paternels. C'est cette dernière qui se charge de leur éducation.

1882 André est mis en pension chez les religieuses, à Ixelles.

1884 Il entre comme pensionnaire au collège des jésuites à Turnhout.

1891 Il est renvoyé du collège en mars et, en avril, est inscrit dans un autre collège de jésuites à Alost.

1892 Renvoyé d'Alost, il entre au collège de la Sainte Trinité, tenu cette fois par des joséphites, à Louvain.

1893 Il entreprend des études d'ingénieur civil à l'Université de Louvain.

1894 Il rencontre Rosine Chéret.

1896 Devenu majeur, il abandonne ses études, réclame ses comptes de tutelle et rompt avec sa famille. Il va alors vivre à Bruxelles, à Liège et à Ostende, où il dilapide sa fortune en compagnie de Rosine. Il commence à rédiger *La Dupe*, son premier roman, qu'il ne parviendra jamais à achever.

1897 En décembre, ruiné, il demande asile à son frère Julien.

1898 Il ouvre un café à Liège avec Rosine puis il rompt avec elle et s'installe à Bruxelles. Il publie le 18 décembre son premier texte connu, un article de critique littéraire dans la revue *La Libre Critique*.

1899 Il publie ses premiers textes littéraires dans *Le Thyrse.*

1900 Il s'installe à Forest, en face d'un cimetière.

1902 Le 20 octobre, il épouse Marie Vandenberghe, ancienne prostituée, qu'il a rencontrée un an ou deux auparavant et qui sera l'héroïne de *Histoire d'une Marie.*

1903 Premier séjour à la campagne, à Westmalle, où le couple Baillon élève des poules. Cette expérience constituera le sujet de *En Sabots.*

1906 Revenu à Bruxelles depuis 1905. Baillon devient rédacteur à *La Dernière Heure.*

1907 Début d'un second séjour à Westmalle, qui dure jusqu'en 1910.

1910 De retour à Bruxelles, il réintègre *La Dernière Heure.* Il racontera son expérience journalistique dans *Par fil spécial.*

1912 Il rencontre la pianiste Germaine Lievens, dont il tombe amoureux.

1913 Il quitte Marie pour vivre avec Germaine et sa fille, Ève-Marie.

1914 Durant la guerre, il vit d'une subvention octroyée par le gouvernement belge en exil aux journalistes refusant de collaborer avec l'occupant. Il écrit *Histoire d'une Marie*, *Moi quelque part*, *Par fil spécial*, *Zonzon Pépette* et *Délires.*

1918 Germaine le quitte et il retourne vivre auprès de Marie. La Belgique libérée, il reprend son travail à *La Dernière Heure.*

1920 Parution à Bruxelles de *Moi quelque part...*, préfacé

par Georges Eekhoud. Baillon abandonne le journalisme et s'installe à Paris avec Germaine et Marie.

1921 Parution chez Rieder (Paris) de *Histoire d'une Marie*, préfacé par Charles Vildrac.

1922 Marie rentre à Bruxelles, laissant André avec Germaine. Parution, toujours chez Rieder, de *En Sabots* (réédition quelque peu augmentée de *Moi quelque part).*

1923 16 avril: internement à le Salpêtrière. Le jury du prix de la Renaissance lui attribue une prime spéciale de 5 000 francs pour *En sabots.* En juin, Baillon s'installe à Marly-le-Roi où, entouré de ses chats, il écrira *Un Homme si simple* (1925), *Chalet 1* (1926), *Le Perce-oreille du Luxembourg* (1928), *Le Neveu de Mademoiselle Autorité* (1930) et *Roseau* (1932).

1924 13-28 août: seconde hospitalisation à la Salpêtrière. Il s'agit cette fois d'une simple cure de repos sans aucune implication psychiatrique.

1930 Début d'une correspondance passionnée avec une jeune lectrice bruxelloise, Marie de Vivier, qui deviendra son dernier amour.

1931 Il reçoit le prix triennal belge pour *Le Perce-oreille du Luxembourg.* Il est divisé entre Marie de Vivier et Germaine Lievens.

1932 Le 7 avril, il avale une dose mortelle de somnifère. Admis à l'hôpital de Saint-Germain-en-Laye, il y meurt le 10 avril. Il est enterré au cimetière de Marly-le-Roi.

NOTE SUR LE TEXTE DE LA PRÉSENTE ÉDITION

Le texte a été établi d'après l'édition originale (Rieder, 1925).

Aux Archives et Musée de la Littérature de Bruxelles sont conservées quatre versions successives du roman, partagées en huit cahiers : un cahier grand format (FS III 138) accueillant les notes d'un premier jet (où se trouvent des passages encore indistincts d'*Un homme si simple* et de *Chalet I*, les deux volumes ayant été initialement conçus comme un seul texte) et sept cahiers petit format (FS III 139 à 145). La version la plus avancée est celle des cahiers 139, 140 et 141, sur la couverture desquels l'auteur a marqué son titre suivi d'une numérotation romaine progressive (*Un homme si simple* I, II, III) et de la note, entre parenthèses : « Bon ». Dans une des pages de garde, il compile jusqu'à la liste des ouvrages « du même auteur », ce à quoi il ajoute : « À paraître pour faire suite au présent volume : *Chalet I* ». Cette dernière version manuscrite conservée ne correspond toutefois pas au texte imprimé par Rieder. Les Archives et Musée de la Littérature conservent également un jeu d'épreuves d'*Un homme si simple*, qui ne contient aucune correction de l'auteur sur le texte (qui est déjà celui de l'édition de 1925), sauf une note faite à la dernière page, où Baillon trace un rond au crayon autour des derniers alinéas du livre (la page, la dernière du roman, débute par l'inscription « Jean Martin ») et écrit : « J'espère qu'on améliorera cette mise en page ». Selon le projet de l'auteur, ces mots auraient dû être disposés en forme d'une pierre tombale. Ni la version tapuscrite envoyée à l'éditeur, ni d'éventuelles premières épreuves (sur lesquelles l'auteur aurait apporté les dernières corrections) ne sont aujourd'hui disponibles.

L'édition originale Rieder, reproduite telle quelle par la maison d'édition bruxelloise Les Éperonniers, contient de très nombreuses coquilles et petites fautes de ponctuation. Nous les avons corrigées là où la consultation des versions manuscrites nous a permis de choisir une solution alternative. La version actuelle ne nécessite pas la consultation de variantes.

TABLE DES MATIÈRES

DANS LA MÊME COLLECTION

1. GEORGES SIMENON, Le Bourgmestre de Furnes
2. MAURICE MAETERLINCK, Pelléas et Mélisande
3. CONSTANT MALVA, La Nuit dans les yeux
4. FERNAND CROMMELYNCK, Tripes d'or
6. MARIE GEVERS, La Comtesse des digues
7. PAUL NOUGÉ , Fragments
8. HUBERT JUIN, Le Repas chez Marguerite
9. MICHEL DE GHELDERODE, Barabbas / Escurial
10. MARCEL MOREAU, Incandescences
11. PAUL NEUHUYS, On a beau dire
12. ANDRÉ BAILLON, Le Perce-oreille du Luxembourg
13. JEAN RAY, Le Grand Nocturne / Les Cercles de l'épouvante
14. JEAN LOUVET, Théâtre
16. PAUL WILLEMS, Blessures
17. NORGE, Remuer ciel et terre
18. LES CONTEURS DE WALLONIE tome 1
19. STANISLAS-ANDRÉ STEEMAN, La Maison des veilles
20. FERNAND DUMONT, La Région du cœur
21. MADELEINE BOURDOUXHE, La Femme de Gilles
22. ACHILLE CHAVÉE, A cor et à cri
23. ÉMILE VERHAEREN, Les Villages illusoires
24. MARIE GEVERS, Guldentop
25. ÇA RIME ET ÇA RAME, Anthologie de poésie francophone
26. DOMINIQUE ROLIN, L'Enragé
27. JACQUES-GÉRARD LINZE, La Conquête de Prague
28. GEORGES SIMENON, Le Pendu de St-Pholien
29. CHARLES PLISNIER, Folies douces
30. MAURICE MAETERLINCK, Le Trésor des humbles
31. CAMILLE LEMONNIER, La Fin des bourgeois
32. MADELEINE LEY, Olivia
33. MAURICE DES OMBIAUX, Le Maugré
34. HENRY BAUCHAU, La Déchirure
35. MARIE DELCOURT, Érasme
36. THOMAS OWEN, La Truie
37. GEORGES RODENBACH, Bruges-la-morte
38. FRANZ HELLENS, Le Naïf
39. MARCEL THIRY, Nouvelles du grand possible
40. ALEXIS CURVERS, Printemps chez des ombres
41. MAX ELSKAMP, Chanson de la rue St-Paul

42. NEEL DOFF, Keetje
43. PIERRE MERTENS, Terre d'asile
44. FERNAND CROMMELYNCK, Le Cocu magnifique
45. CONRARD DETREZ, Ludo
46. WERNER LAMBERSY, Maîtres et maisons de thé
47. JEAN MUNO, Le Joker
48. CHARLES BERTIN, Don Juan
49. MAUD FRÈRE, Les Jumeaux millénaires
50. FRANÇOIS JACQMIN, Les Saisons
51. CHARLES PARON, Les vagues peuvent mourir
52. JACQUES STERNBERG, L'Employé
53. ROBERT VIVIER, Délivrez-nous du mal
54. LES CONTEURS DE WALLONIE T2
55. PAUL WILLEMS, La Ville à voile / La Vita breve
56. GASTON COMPÈRE, Je soussigné Charles le Téméraire
57. HUBERT KRAINS, Le Pain noir
58. CHARLES-JOSEPH DE LIGNE, Mes Écarts
59. JACQUES SOJCHER, Le Rêve de ne pas parler
60. JEAN TOUSSEUL, La Cellule 158
61. LOUIS SCUTENAIRE, Mes inscriptions
62. SUZANNE LILAR, Le Divertissement portugais
63. JEAN-PIERRE OTTE, Blaise Ménil mains de menthe
64. JEAN-PIERRE VERHEGGEN, Pubères putains
65. JEAN-CLAUDE PIROTTE, La Pluie à Rethel
66. RENÉ KALISKY, Falsch / Sur les ruines de Carthage
67. HUBERT JUIN, Les Sangliers
68. GEORGES EEKHOUD, Voyous de velours
69. ANDRÉ BLAVIER, Occupe-toi d'homélies
70. FONSON & WICHELER, Le Mariage de Mlle Beulemans
71. CAMILLE LEMONNIER, L'École belge de peinture
72. CAMILLE GOEMANS, Écrits
73. JACQUES IZOARD, La Patrie empaillée / Vêtu, dévêtu, libre
74. MARIE GEVERS, Madame Orpha
75. HENRY BAUCHAU, Le Régiment noir
76. CHARLES VAN LERBERGHE, Contes hors du temps
77. GEORGES SIMENON, L'Horloger d'Everton
78. DOMINIQUE ROLIN, La Maison, la Forêt
79. JACQUELINE HARPMAN, Les Bons Sauvages
80. MARCELLIN LAGARDE, Récits de l'Ardenne
81. M. et G. PIQUERAY, Au-delà des gestes et autres textes
82. PAUL EMOND, La Danse du fumiste

83. FRANCIS DANNEMARK, Mémoires d'un ange maladroit
84. ANNE FRANÇOIS, Nu-Tête
85. EUGÈNE SAVITZKAYA, Mongolie plaine sale
86. PIERRE HUBERMONT, Treize hommes dans la mine
87. RAOUL VANEIGEM, Le Livre des plaisirs
88. JEAN RAY, Malpertuis
89. MARCEL MARIËN, Les Fantômes du château de cartes
90. JACQUES DE DECKER, La Grande Roue
91. VERA FEYDER, La Derelitta
92. CAMILLE LEMONNIER, Happe-Chair
93. CLAIRE LEJEUNE, Mémoire de rien et autres textes
94. ALBERT AYGUESPARSE, Simon-la-bonté
95. JOSÉ-ANDRÉ LACOUR, Panique en Occident
96. LILIANE WOUTERS, La Salle des profs
97. FRANÇOISE LALANDE, Le Gardien d'abalones
98. RENÉ MAGRITTE, Les Mots et les Images
99. DITS DE LA NUIT. Contes et légendes d'Afrique centrale
100. ESPACE NORD, L'ANTHOLOGIE
101. DANIEL GILLÈS, Nés pour mourir
102. ANDRÉ BAILLON, Par fil spécial
103. GEORGES THINÈS, Le Tramway des Officiers
104. IVAN REISDORFF, L'homme qui demanda du feu
105. GASTON COMPÈRE, La Femme de Putiphar
106. HENRY BAUCHAU, Heureux les déliants
107. FRANÇOISE MALLET-JORIS, Trois âges de la nuit
108. PIERRE ALECHINSKY, Hors Cadre
109. MARIE GEVERS, La Grande Marée
110. NICOLE MALINCONI, Hôpital silence / L'Attente
111. EUGÉNIE DE KEYSER, La Surface de l'eau
112. ALEXANDRE LOUS, Matricide
113. CHARLES DE COSTER, La Légende d'Ulenspiegel
114. O.P. GILBERT, Bauduin-des-mines
115. MADELEINE BOURDOUXHE, Sous le pont Mirabeau
116. JEAN LOUVET, Conversation en Wallonie / Un Faust
117. RENÉ HÉNOUMONT, Le Vieil Indien
118. ANDRÉ BAILLON, Histoire d'une Marie
119. ANDRÉ-MARCEL ADAMEK, Le Fusil à pétales
120. ALAIN BERENBOOM, La Position du missionnaire roux
121. ROGER KERVYN DE MARCKE TEN DRIESSCHE, Les Fables de Pitje Schramouille
122. MARCEL REMY, Les Ceux de chez nous

123. STANISLAS-ANDRÉ STEEMAN, L'Infaillible Silas Lord
124. SUZANNE LILAR, Une enfance gantoise
125. RAYMOND CEUPPENS, À bord de la Magda
126. JEAN MUNO, Histoire exécrable d'un héros brabançon
127. MAURICE MAETERLINCK, L'Oiseau bleu
128. GEORGES SIMENON, Pedigree
129. ALEXIS CURVERS, Tempo di Roma
130. CAMILLE LEMONNIER, Un Mâle
131. CHARLES PLISNIER, Faux Passeports
132. JACQUELINE HARPMAN, La Fille démantelée
133. DOMINIQUE ROLIN, L'infini chez soi
134. ADRIEN DE GERLACHE, Quinze mois dans l'Antarctique
135. PIERRE MERTENS, Collision et autres textes
136. CONRAD DETREZ, Les Plumes du Coq
137. NEEL DOFF, Jours de famine et de détresse
138. JEAN-LUC OUTERS, L'Ordre du jour
139. JEAN-PIERRE VERHEGGEN, Le Degré zorro de l'écriture
140. ROSNY AINÉ, La Guerre du feu
141. PAUL EMOND, Plein la vue
142. THIERRY HAUMONT, Le Conservateur des ombres
143. MAX LOREAU, De la création
144. MICHEL DE GHELDERODE, Pantagleize
145. FRANÇOIS EMMANUEL, Le Tueur mélancolique
146. FÉLICIEN ROPS, Mémoires pour nuire à l'Histoire de mon temps
147. MAURICE MAETERLINCK, La princesse Maleine
148. JACQUES SOJCHER, Le professeur de philosophie
149. PHILIPPE BLASBAND, De Cendres et de Fumées
150. MARC QUAGHEBEUR, Balises pour l'histoire des lettres belges
151. ANDRÉ SEMPOUX, Moi aussi je suis peintre
152. CONSTANT MALVA, Ma nuit au jour le jour
153. GABRIEL DEBLANDER, Le retour des chasseurs
154. CHRISTIAN HUBIN, Éclipses
155. FRANÇOIS EMMANUEL, Grain de peau
156. NEEL DOFF, Keetje trottin
157. MICHEL DE GHELDERODE, Don Juan
158. JAMES ENSOR, Mes Écrits ou les suffisances matamoresques
159. JACQUELINE HARPMAN, Le bonheur dans le crime
160. JACQUES SCHNEIDER, Le Dieu aveugle
161. STANISLAS-ANDRÉ STEEMAN, Quai des Orfèvres
162. MICHÈLE FABIEN, Charlotte, Notre Sade, Sara Z.
163. FRANÇOIS EMMANUEL, La leçon de chant

164. FRANÇOISE LALANDE, Madame Rimbaud
165. MARCEL THIRY, Traversées
166. DOMINIQUE ROLIN, Dulle Griet
167. FRANZ HELLENS, Œil de Dieu
168. ANDRÉ BAILLON, Chalet 1
169. MICHEL DE GHELDERODE, Sortilèges
170. JACQUELINE HARPMAN, Brève Arcadie
171. PAUL WILLEMS, La chronique du cygne
172. GABRIEL RINGLET, Ces chers disparus
173. CHARLES BERTIN, Journal d'un crime
174. SIMON LEYS, La mort de Napoléon
175. NICOLE MALINCONI, Nous deux/Da Solo
176. CAMILLE LEMONNIER, Sedan ou les Charniers
177. XAVIER DE REUL, Les Enfants d'Apollon
178. FRANÇOIS EMMANUEL, La Nuit d'Obsidienne
179. GEORGES LINZE, Les Enfants bombardés
180. ANDRÉ BAILLON, Un homme si simple
181. BÉATRIX BECK, Confidences de gargouille

La photocomposition de ce volume
a été réalisée par Tournai Graphic.

Achevé d'imprimer en octobre 2002
sur les presses de l'imprimerie Campin 2000
à Tournai (Belgique)
pour le compte des Éditions Labor.